TRAS

Zaçã   árie

DE ADAUTO N

UM CAVALHEIRO DA SEGUNDA DECADÊNCIA

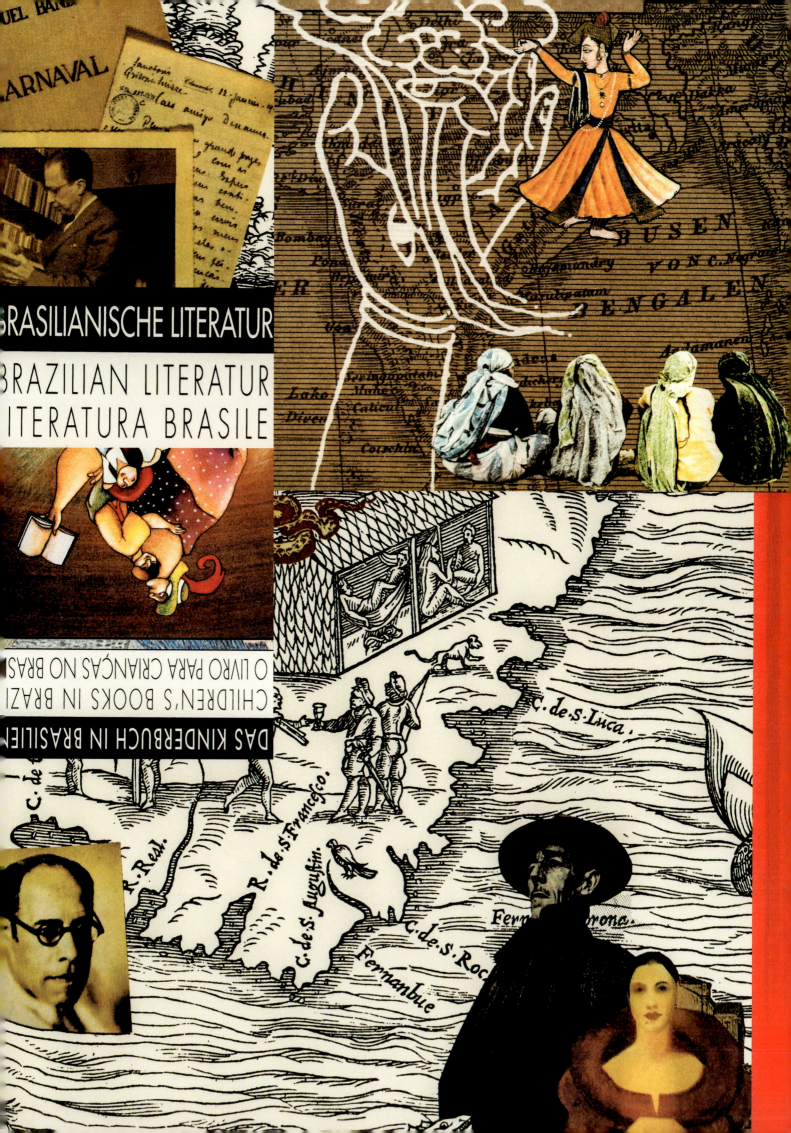

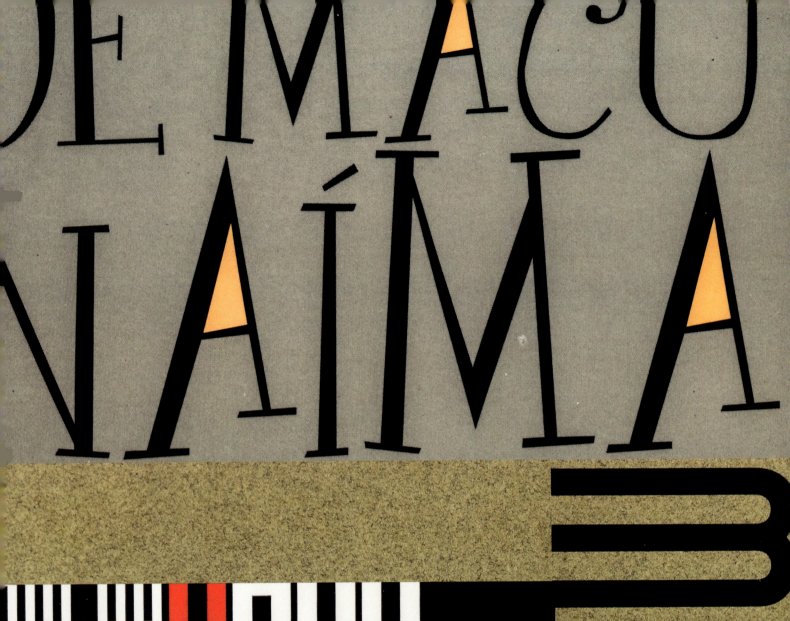

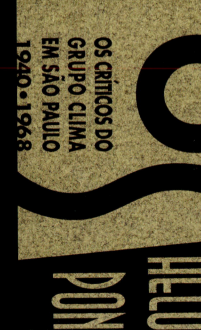

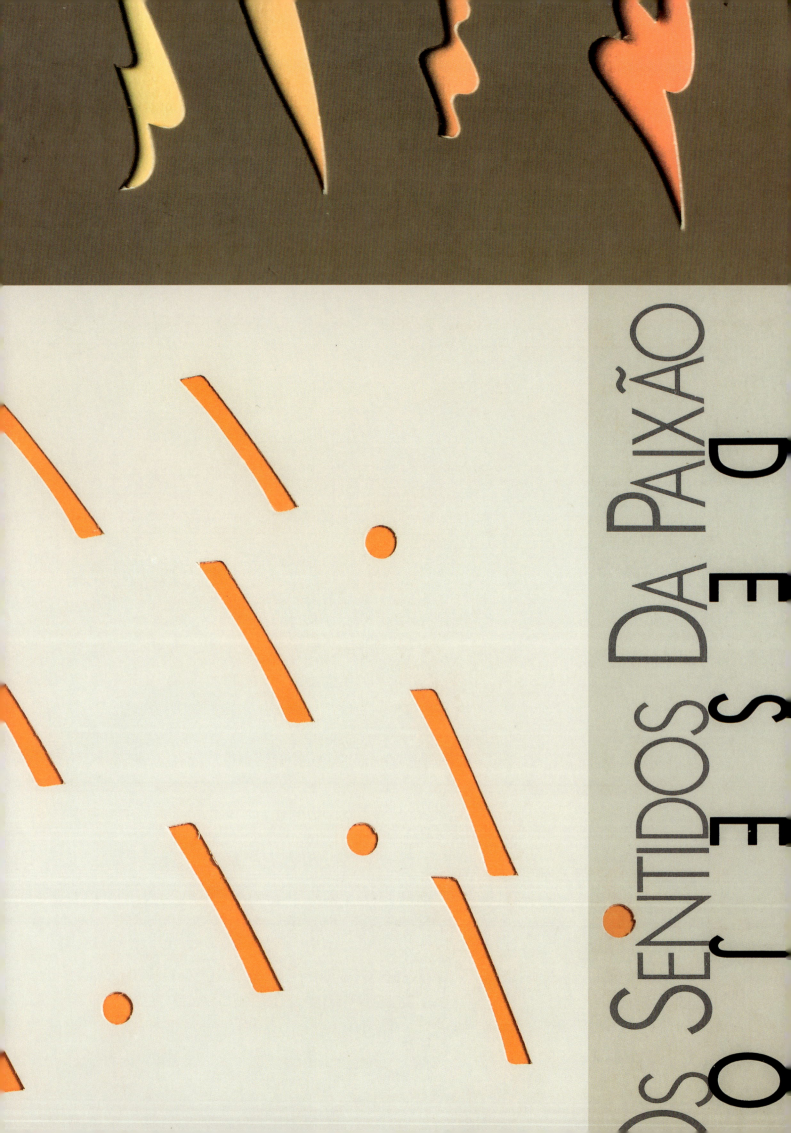

SERGIO PAULO ROUANET JOSÉ MIGUEL WISNIK ISMAIL XAVIER
ALCIR PÉCORA LEYLA PERRONE-MOISÉS DÉCIO PIGNATARI RENATO
JOSÉ MOURA GONÇALVES FILHO KATIA MURICY ADAUTO NOVAES
OLGA DE MELLO E SOUZA RENATO MILLAN JOSÉ AMÉRICO

MOEMA CAVALCANTI
livre para voar

SUMÁRIO

Apresentação
21

Com a palavra, Moema Cavalcanti
23

CAPAS
[materialidade]
29

[colagem]
51

[ilustrações]
71

[fotografia]
109

[tipografia]
133

[Ilustrações para revista *Veja*]
151

PRESENTINHOS DE DOMINGO
161

Três palavras dos organizadores
215

APRESENTAÇÃO

Este livro foi concebido e construído pela própria Moema Cavalcanti. De estrutura simples, ele é composto por dois blocos: as capas de livros e os presentinhos de domingo.

O primeiro bloco reúne uma amostragem de sua impressionante obra como capista de livros — é assim que ela gosta de ser chamada. Trata-se de uma seleção de duas centenas de projetos dentre os milhares realizados por Moema em suas mais de cinco décadas de atividade profissional. As capas foram agrupadas segundo vetores de linguagem: materialidade, colagem, ilustrações, fotografia, tipografia. Não se trata de uma classificação rígida, e sim de um recurso para facilitar a aproximação com os caminhos trilhados por Moema em suas criações. Arrematando o conjunto de capas, uma saborosa reunião de ilustrações produzidas por Moema para a revista *Veja*.

O segundo bloco é composto pelos singelos presentinhos de domingo. São mensagens despretensiosas com as quais ela brindava semanalmente sua rede de amigos, e que revelam sua face de contadora de histórias.

Quando o livro já estava montado, Moema foi obrigada a se dedicar a uma missão mais urgente: cuidar de sua saúde. O trio de organizadores que assina esta apresentação assumiu então a tarefa de dar os últimos retoques para a edição ficar pronta. Com isso, todos podemos apreciar a reunião da obra desta personagem ímpar do cenário cultural brasileiro que é Moema Cavalcanti.

CHICO HOMEM DE MELO | RAQUEL MATSUSHITA | SILVIA MASSARO

COM A PALAVRA,
MOEMA CAVALCANTI

[ANTES, A TRAJETÓRIA DE MOEMA EM SETE PASSOS]

1 INFÂNCIA RECIFENSE EM CASA MOVIMENTADA

Nasce em 1942, no Recife, Pernambuco, filha de Paulo Cavalcanti, político, jornalista e historiador, líder comunista várias vezes preso após o golpe de 1964, e de Maria Ofélia Cavalcanti, requisitada modista da sociedade local. Cresce em uma casa movimentada, convivendo com a nata da intelectualidade pernambucana e com a oficina de costura da mãe, onde aprende a confeccionar suas próprias roupas.

2 FORMAÇÃO ACADÊMICA, FLERTE COM O TEATRO

Em 1965 gradua-se em Pedagogia pela Universidade Federal de Pernambuco. Envolve-se com o ambiente teatral, fazendo figurinos, cenografia e também atuando — chega a ser premiada como atriz revelação!

3 MUDANÇA PARA SÃO PAULO, EDITORA ABRIL

Muda-se para São Paulo em 1968 e logo começa a trabalhar com direção de arte na Editora Abril. Em 1973 passa a dedicar-se ao Círculo do Livro, um dos selos da editora, onde faz o projeto de uma revista e várias capas de livros.

4 ESTÚDIO PRÓPRIO, EDITORA BRASILIENSE

Em 1975 cria seu próprio estúdio e passa a trabalhar com várias editoras, destacando-se o vínculo com a Brasiliense. Nas duas décadas seguintes, projeta cerca de oitocentas capas de livros.

5 COMPANHIA DAS LETRAS, BRASIL EM FRANKFURT, PRÊMIOS

A partir de 1987, e ao longo das décadas seguintes, manteria vínculo regular com a editora Companhia das Letras, para a qual produziu várias de suas capas mais conhecidas. Em 1994, quando o Brasil é o país-tema da Feira do Livro de Frankfurt, desenvolve um numeroso conjunto de livros e cartazes sobre a cultura do país. Na primeira metade da década de 1990, cinco de suas capas recebem os prêmios Jabuti e Classic.

6 OITOCENTAS CAPAS

Em 2000 é realizada a exposição *Moema Cavalcanti – Oitocentas capas*, na galeria da ADG – Associação dos Designers Gráficos, em São Paulo.

7 ASSOCIAÇÃO COM SILVIA MASSARO, CONTINUIDADE

A partir de 1997 associa-se a Silvia Massaro. O escritório dá sequência à atuação no campo do design editorial, mantendo-se ativo até o presente.

"SOU DO RECIFE, COM ORGULHO E COM SAUDADE".

Sobre a origem pernambucana.
(Marcha carnavalesca "Frevo nº 3 do Recife", de Antônio Maria)

EU ACHO QUE EU QUERO FAZER ISSO.

Moema ainda criança, nos anos 1950, às voltas com a biblioteca do pai, onde se destacavam as obras da editora pernambucana de livros artesanais *O gráfico amador*.

O MEU CONHECIMENTO É EMPÍRICO: APRENDI FAZENDO.

Sobre a formação como designer.

FORAM MUITO INSPIRADORAS PARA MIM AS CAPAS DE LIVROS DO EUGÊNIO HIRSCH, DA EDITORA CIVILIZAÇÃO BRASILEIRA, E AS CAPAS DE DISCOS DO CESAR VILLELA, DA GRAVADORA ELENCO.

Sobre as primeiras influências, nos anos 1960.

DEIXANDO A MODÉSTIA DE LADO, ACREDITO
QUE O GRUPO DE CAPISTAS DOS PRIMEIROS TEMPOS
DA COMPANHIA DAS LETRAS, DO QUAL EU FAZIA
PARTE, MUDOU A PERCEPÇÃO DA IMPORTÂNCIA DA
CAPA DE LIVRO NO BRASIL.

Sobre o trabalho na Companhia das Letras, nos anos 1990.

TINHA MIL E NÃO SEI QUANTAS CAPAS LÁ.
EU NÃO ACREDITAVA QUE TIVESSE FEITO TUDO AQUILO.

Sobre a exposição *Moema Cavalcanti – Oitocentas capas*,
realizada em São Paulo, no ano 2000.

GOSTO DE FAZER O QUE FAÇO.

Sobre sua relação com o trabalho.

EU TENHO UM ACERVO QUE FICA NO SUBCONSCIENTE.
UM ACERVO VISUAL, SENSORIAL.

PARA MIM, QUALQUER SENSAÇÃO VISUAL É IMPORTANTE.
EU LEVO TODAS ELAS PARA O MEU TRABALHO.

ENCONTRO SOLUÇÕES GRÁFICAS RECORTANDO
E RASGANDO PAPEIS, FAZENDO COLAGENS E COSTURAS.

O TATO É INSUBSTITUÍVEL.
UM LIQUIDIFICADOR PODE SER CAPAZ DE PRODUZIR UMA SUBSTÂNCIA
MAIS LISA E HOMOGÊNEA.
MAS... E OS PEDAÇOS? PREFIRO AMASSAR COM O GARFO.

VOCÊ PEGA TUDO QUE TEM NO LIVRO E TRANSFORMA
EM UMA COISA ABSOLUTAMENTE SIMPLES.
É ISSO QUE EU QUERO:
FAZER CAPAS CADA VEZ MAIS SIMPLES.

CRIAR É UM EXERCÍCIO.

Sobre o processo de criação.

CAPAS
[MATERIALIDADE]

OS SENTIDOS DA PAIXÃO | COMPANHIA DAS LETRAS | 1987

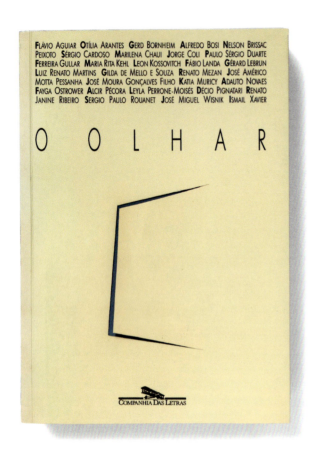
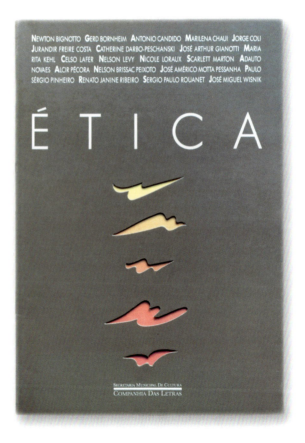

O OLHAR | 1988 ÉTICA | 1992

O DESEJO | COMPANHIA DAS LETRAS | 1990

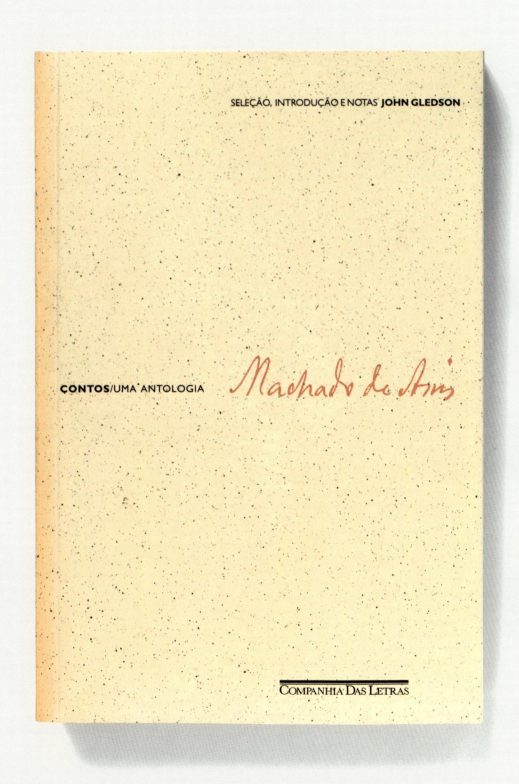

CONTOS | UMA ANTOLOGIA | MACHADO DE ASSIS | COMPANHIA DAS LETRAS | 1998

Civilização e Barbárie

ORGANIZAÇÃO DE ADAUTO NOVAES

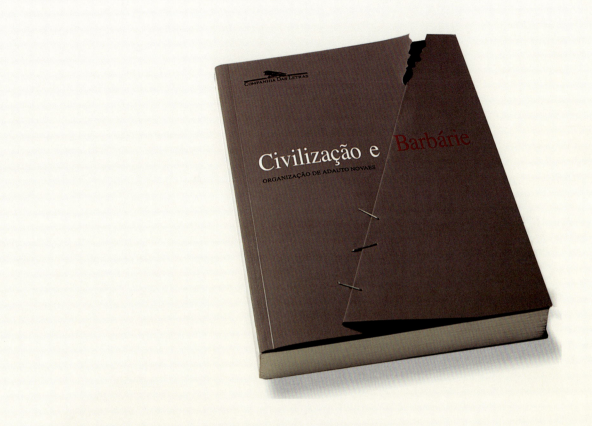

CIVILIZAÇÃO E BARBÁRIE | COMPANHIA DAS LETRAS | 2004

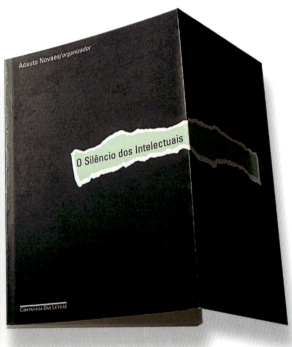

O SILÊNCIO DOS INTELECTUAIS | COMPANHIA DAS LETRAS | 2006

A ILUSTRE CASA DE RAMIRES | EDUC/FAPESP | 2003

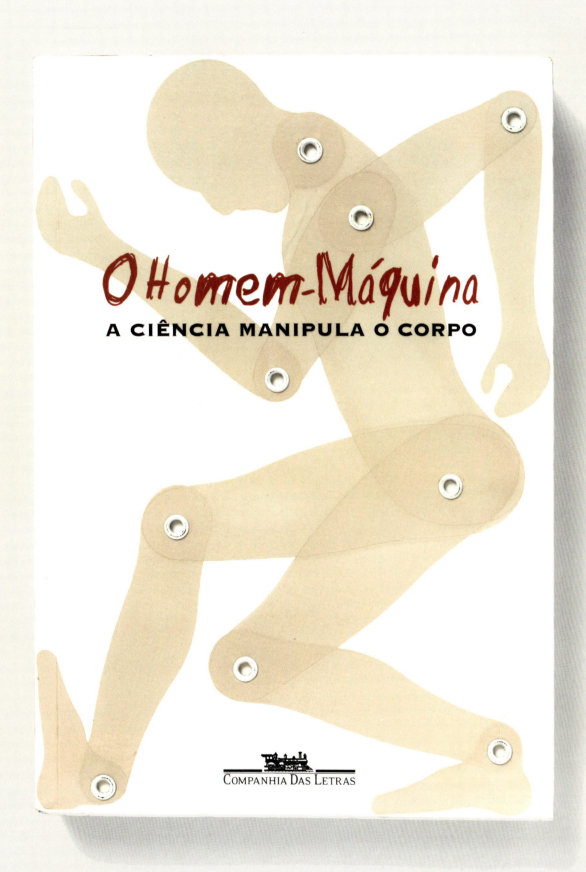

O HOMEM-MÁQUINA | COMPANHIA DAS LETRAS | 2003

COLEÇÃO ARTISTAS BRASILEIROS | EDUSP | 1995-2000

O FILÓSOFO AUTODIDATA | COMO ESCOLHER AMANTES | MODESTA PROPOSTA | EDITORA UNESP | 2005

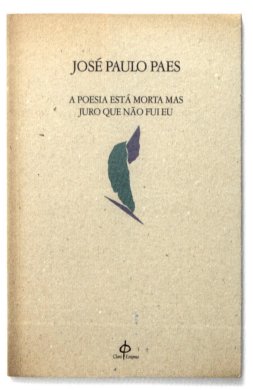

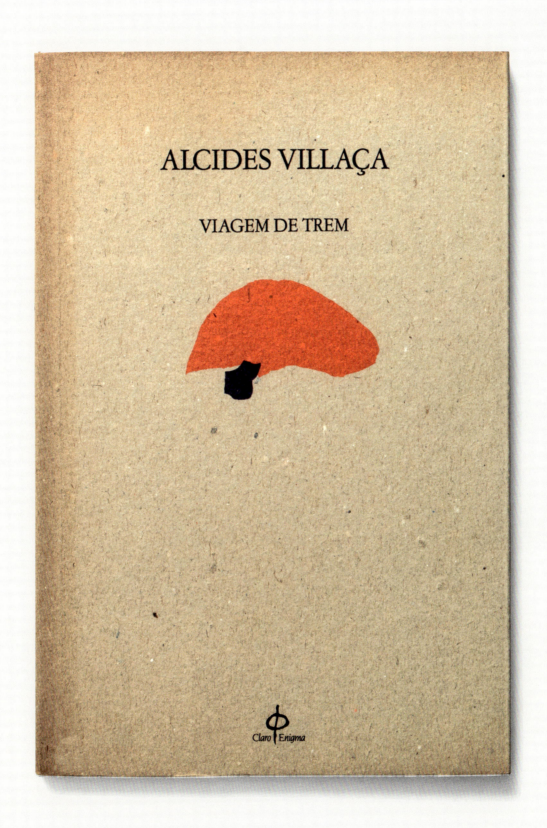

COLEÇÃO CLARO ENIGMA | DUAS CIDADES | 1988

NAÏFS | EDIÇÕES SESC SP | 2003

POESIA ERÓTICA | COMPANHIA DAS LETRAS | 1990

CAPAS
[COLAGEM]

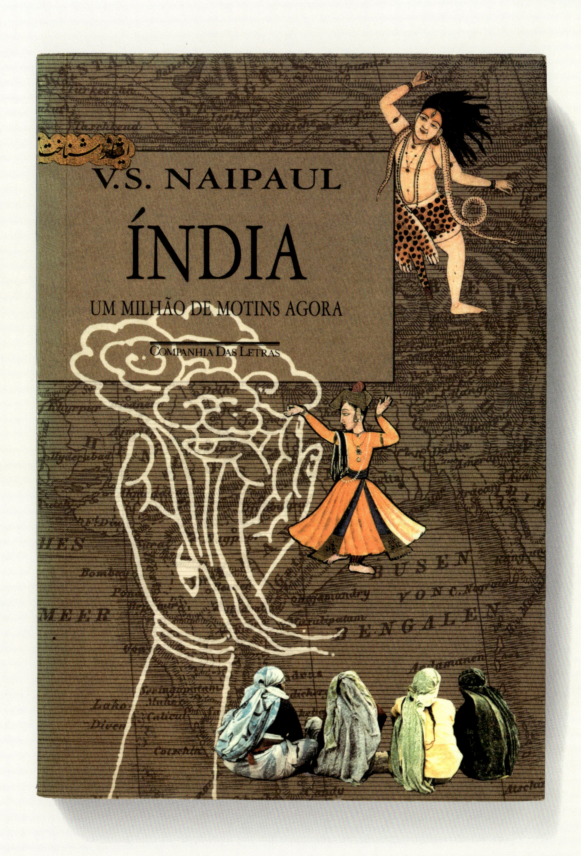

ÍNDIA | COMPANHIA DAS LETRAS | 1997

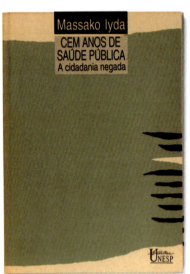

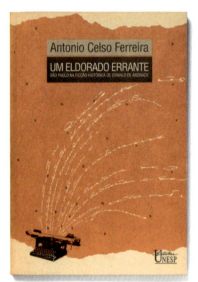
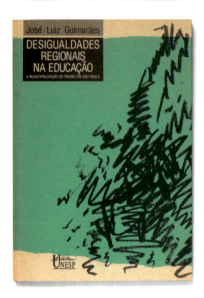
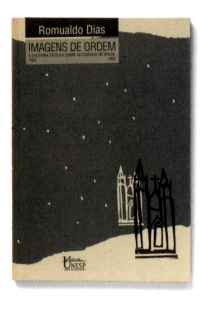

ROSA LUXEMBURG | EDITORA UNESP | 1995

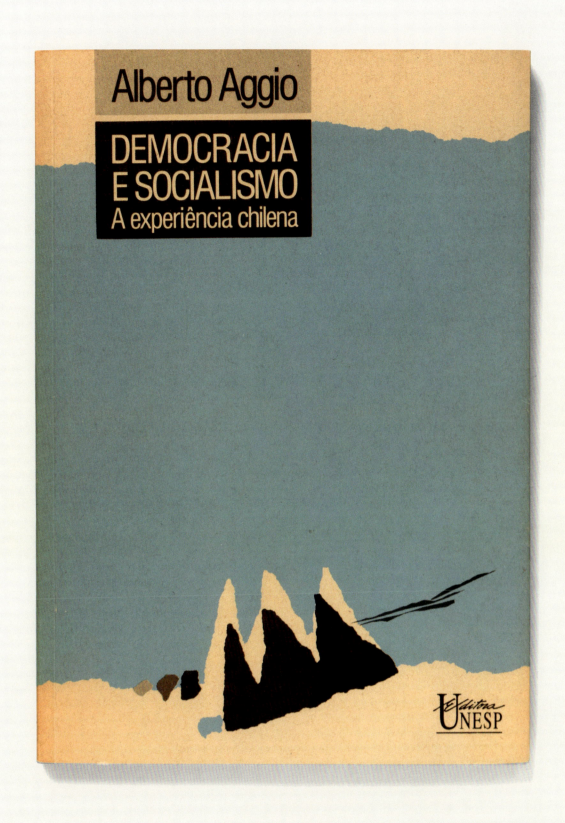

DEMOCRACIA E SOCIALISMO | EDITORA UNESP | 1993

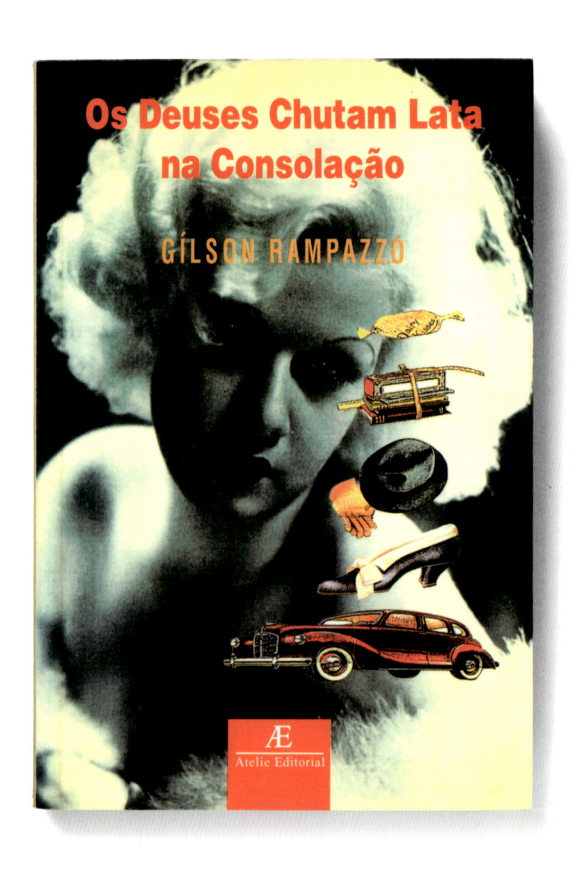

OS DEUSES CHUTAM LATA NA CONSOLAÇÃO | ATELIÊ EDITORIAL | 1997

SEM PECADO | COMPANHIA DAS LETRAS | 1993

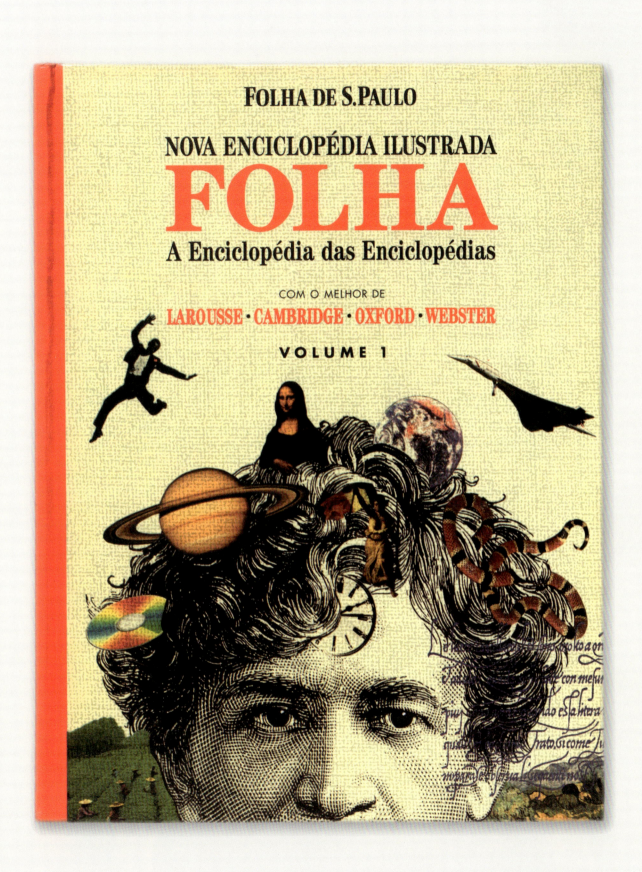

NOVA ENCICLOPÉDIA ILUSTRADA DA FOLHA VOLS. 1 E 2 | FOLHA DE S. PAULO | 1996

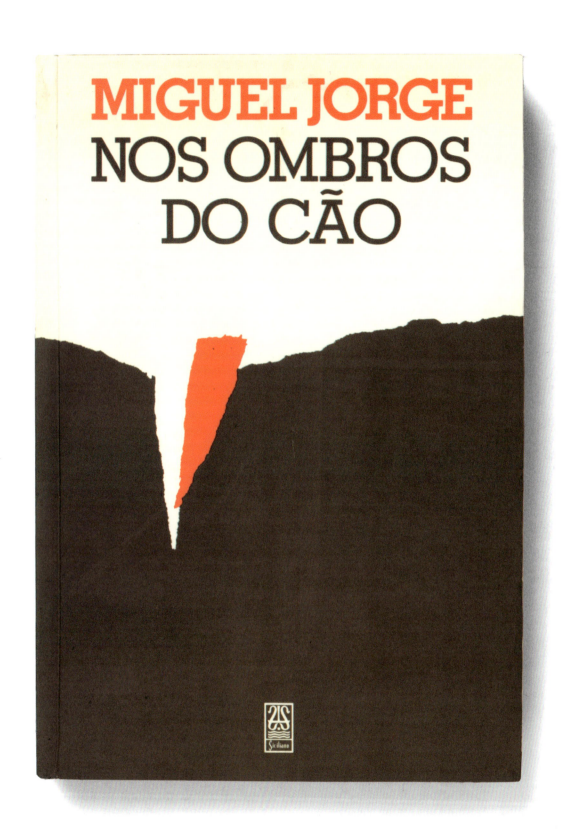

NOS OMBROS DO CÃO | EDITORA SICILIANO | 1991

LÁBIOS QUE BEIJEI | Editora Siciliano | 1992

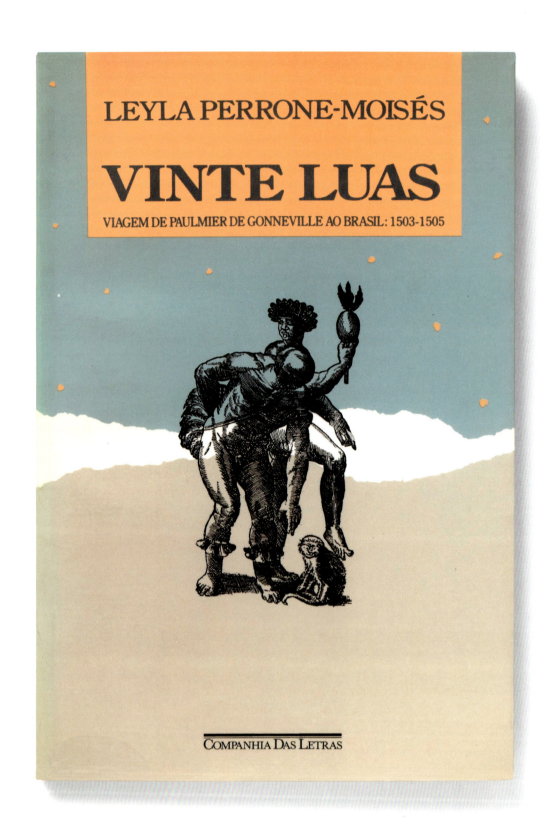

VINTE LUAS | COMPANHIA DAS LETRAS | 1992

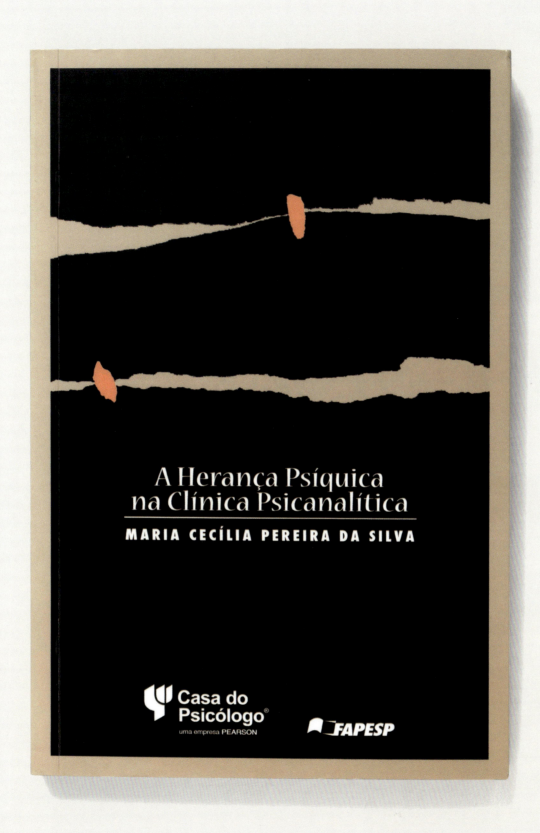

A HERANÇA PSÍQUICA NA CLÍNICA PSICANALÍTICA | CASA DO PSICÓLOGO/FAPESP | 2003

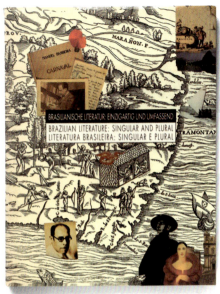

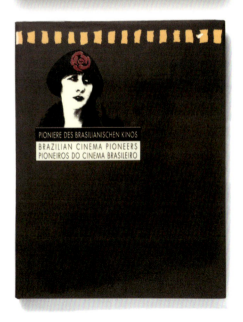
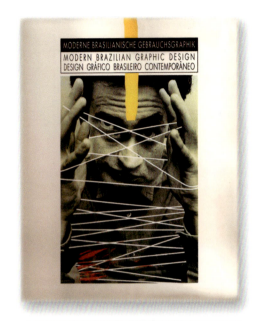
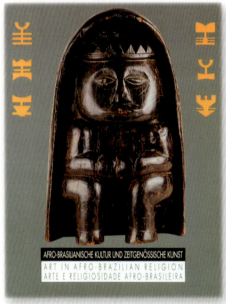

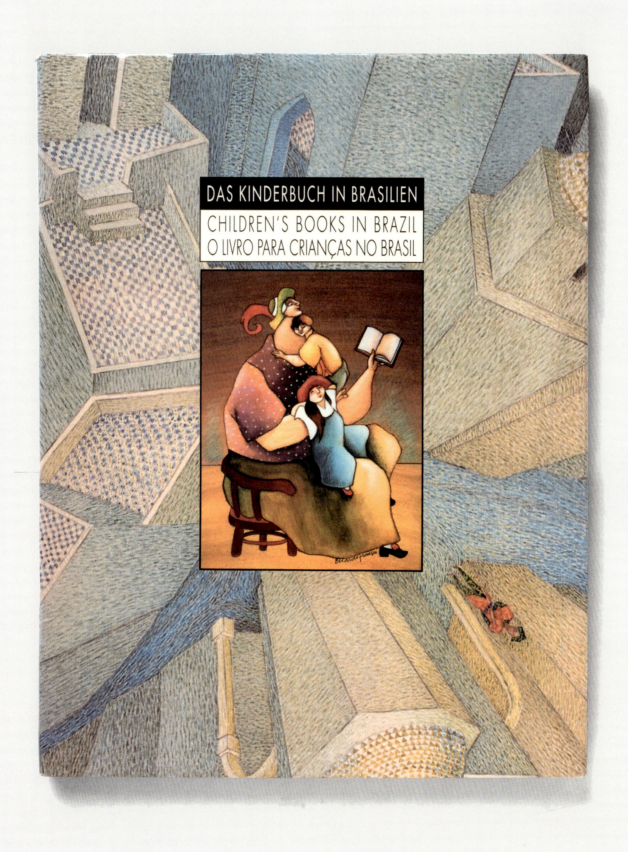

COLEÇÃO FRANKFURT | CÂMARA BRASILEIRA DO LIVRO (CBL) | 1994

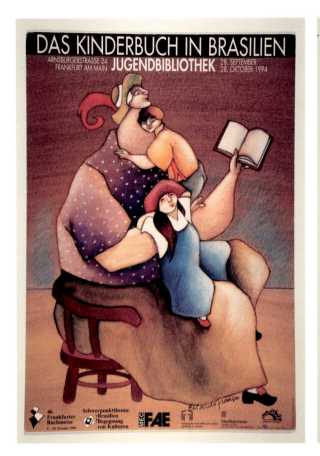

CARTAZES PARA FEIRA DE FRANKFURT | 1994

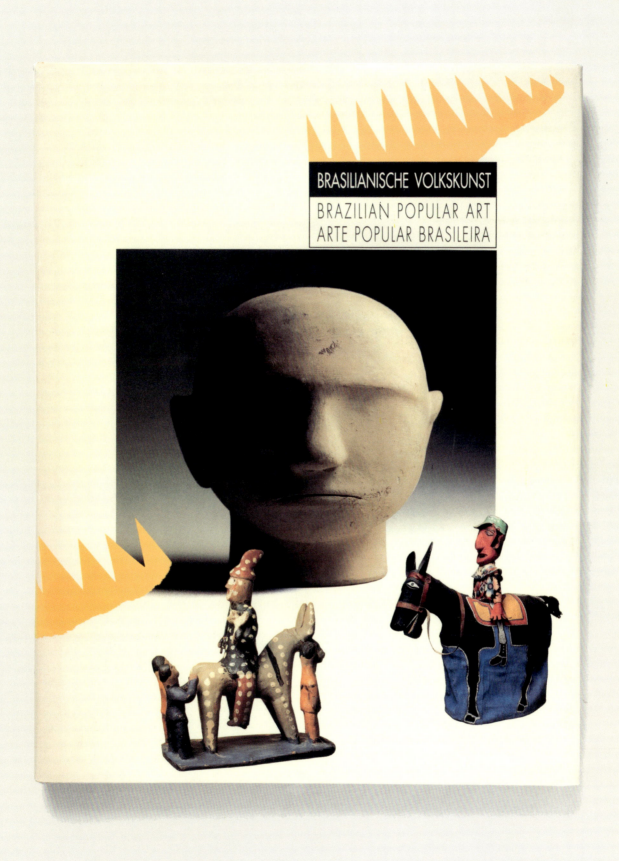

COLEÇÃO FRANKFURT | CÂMARA BRASILEIRA DO LIVRO (CBL) | 1994

CAPAS
[ILUSTRAÇÕES]

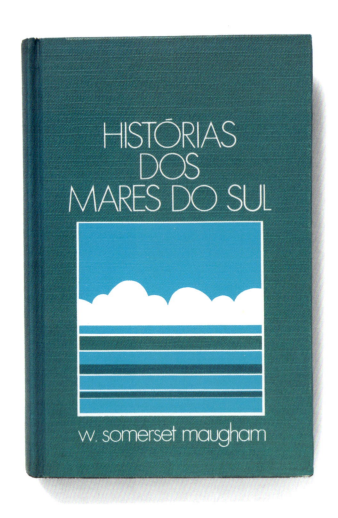
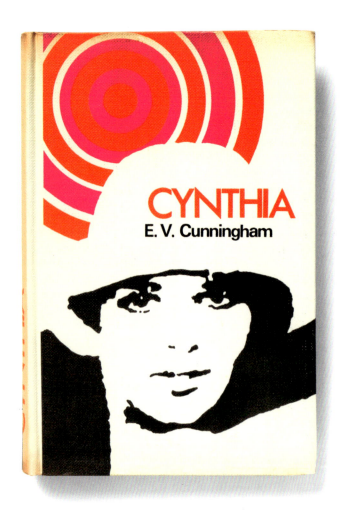

HISTÓRIAS DOS MARES DO SUL | 1973 CYNTHIA | 1974

O TRIGO E O JOIO | CÍRCULO DO LIVRO | 1973

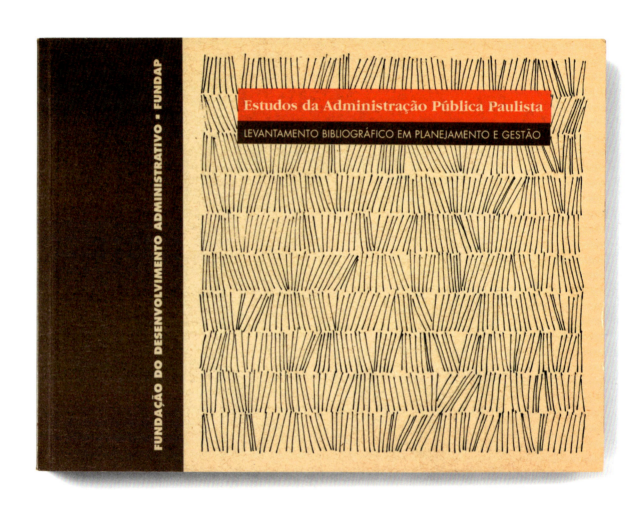

ESTUDOS DA ADMINISTRAÇÃO PÚBLICA | FUNDAP | 1996

MÚSICA ELETROACÚSTICA | EDUSP | 1996

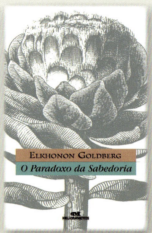
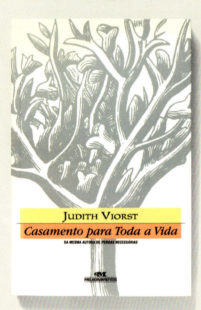
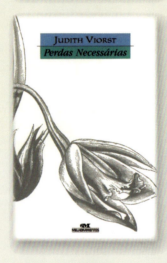
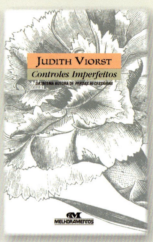
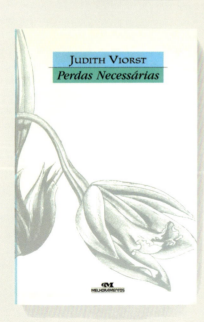
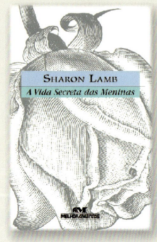
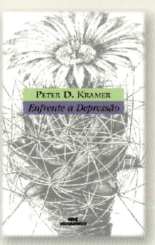

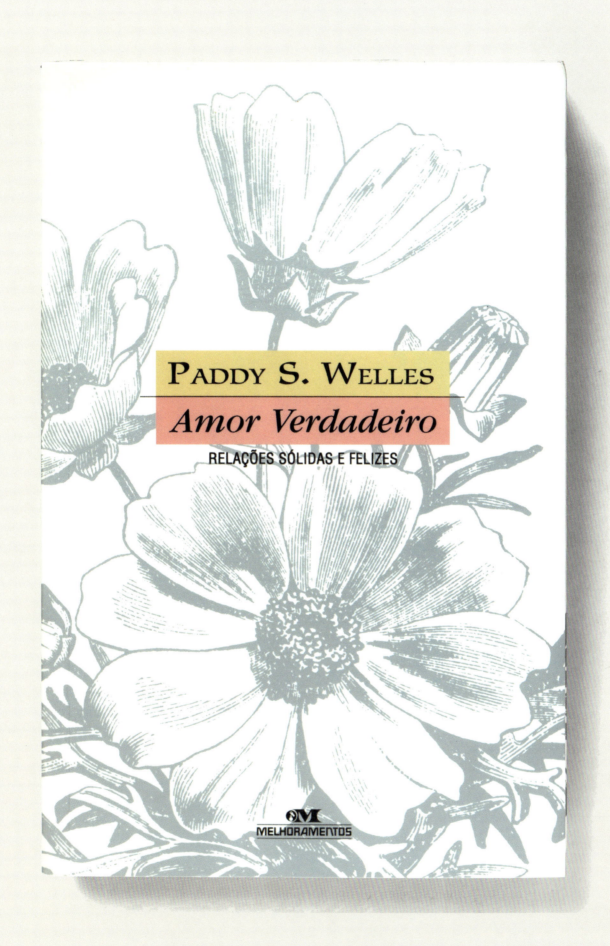

AMOR VERDADEIRO | MELHORAMENTOS | 2005

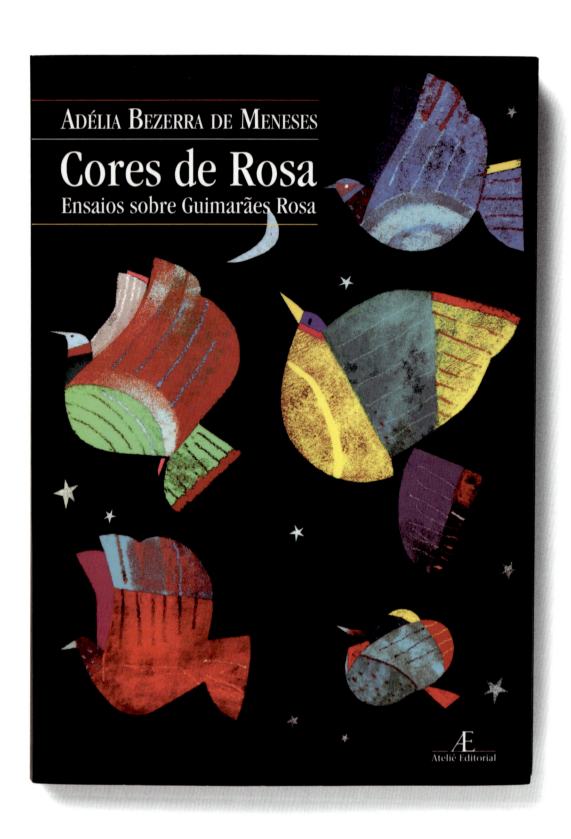

CORES DE ROSA | ATELIÊ EDITORIAL | 2010
ILUTRAÇÃO LÚCIA BRANDÃO

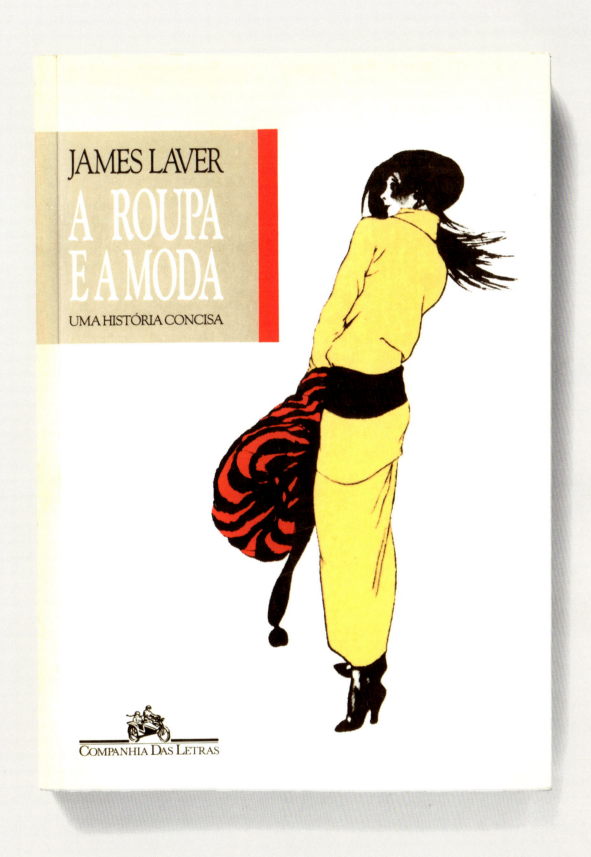

A ROUPA E A MODA | COMPANHIA DAS LETRAS | 1989
ILUSTRAÇÃO DO JOURNAL DES DAMES ET DES MODES

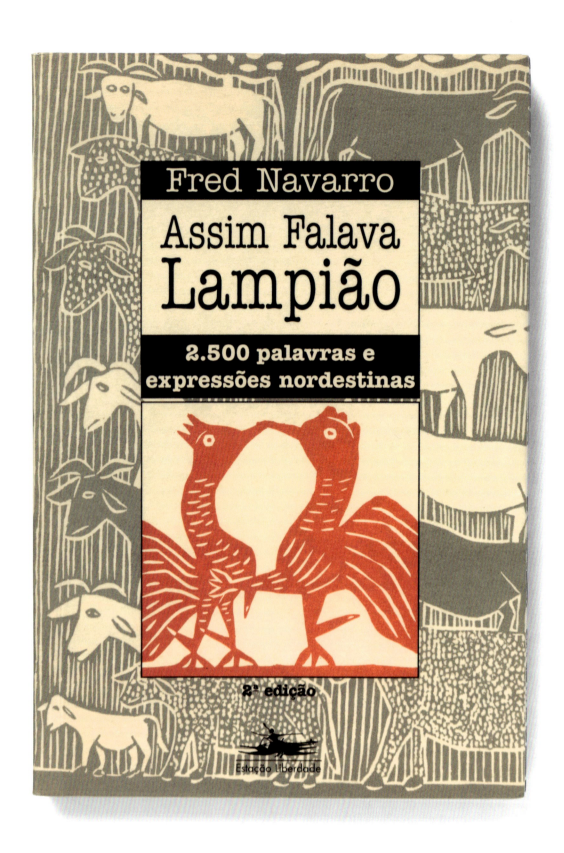

ASSIM FALAVA LAMPIÃO | ESTAÇÃO LIBERDADE | S/D
ILUSTRAÇÃO J.BORGES

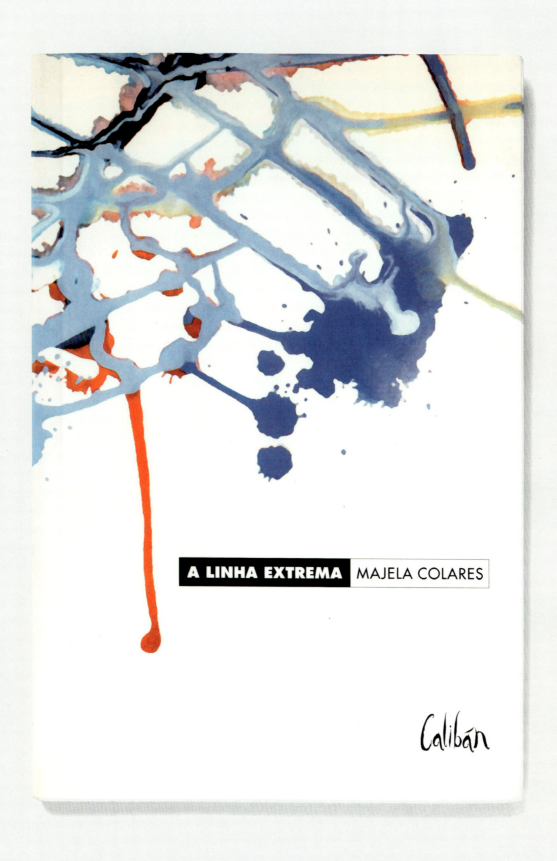

A LINHA EXTREMA | CALIBÁN | 1999

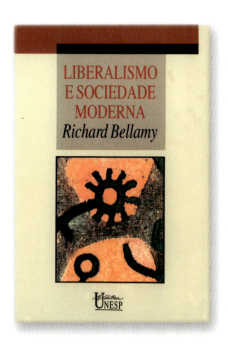
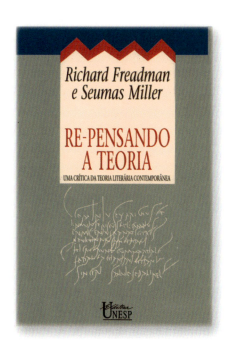
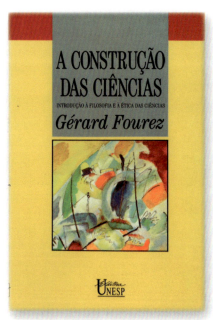
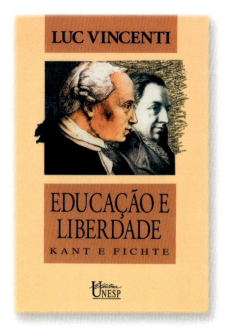

LIBERALISMO E SOCIEDADE MODERNA | 1994 | RE-PENSANDO A TEORIA | 1994 |
A CONSTRUÇÃO DAS CIÊNCIAS | 1995 | EDUCAÇÃO E LIBERDADE | EDITORA UNESP | 1994
ILUSTRAÇÕES: DETALHE DE FLORA SOBRE A ROCHA, DE PAUL KLEE | GRAFITE EM POMPEIA
DETALHE DE IMPROVISAÇÃO 31, DE WASSILY KANDINSKY | MOEMA CAVALCANTI

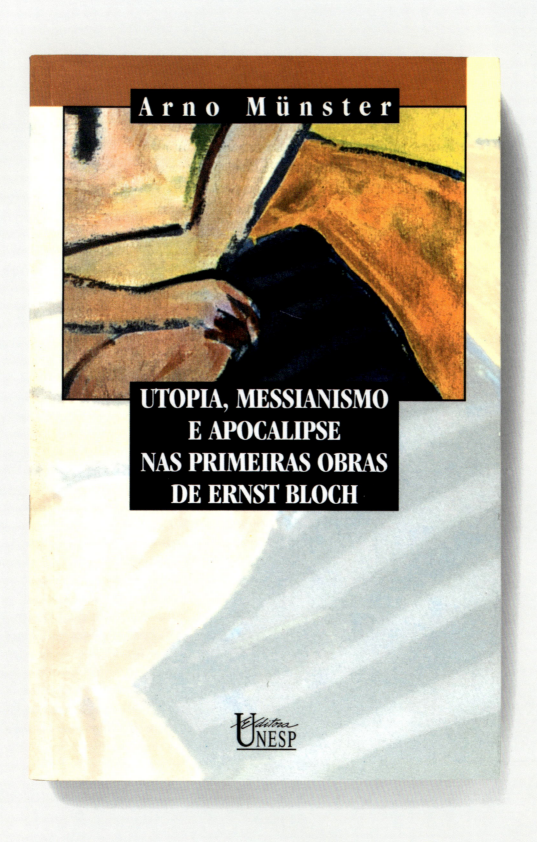

UTOPIA, MESSIANISMO E APOCALIPSE NAS PRIMEIRAS OBRAS DE ERNST BLOCH | EDITORA UNESP | 1997
ILUSTRAÇÃO SOBRE MARCELLA, DE ERNST LUDWIG KIRCHNER

EU VI AS TRÊS MENINAS | ZERINHO OU UM | 2014
ILUSTRAÇÃO DESENHOS DAS CRIANÇAS DA OCA ESCOLA CULTURAL

A MÁQUINA PELUDA | ATELIÊ EDITORIAL | 1997

UMA ROSA PARA PÚCHKIN | CÓDEX | 2003

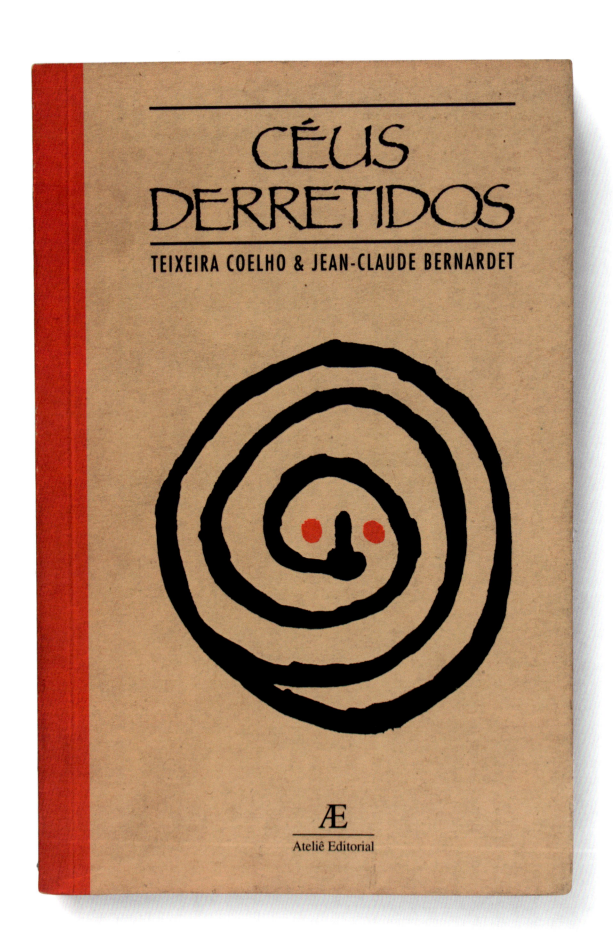

CÉUS DERRETIDOS | ATELIÊ EDITORIAL | 1996

MODERNISMO
GUIA   GERAL

MALCOLM BRADBURY E JAMES McFARLANE

MODERNISMO | COMPANHIA DAS LETRAS | 1989

ILUSTRAÇÃO DETALHE DE AMARELO-VERMELHO-AZUL, DE KANDINSKI

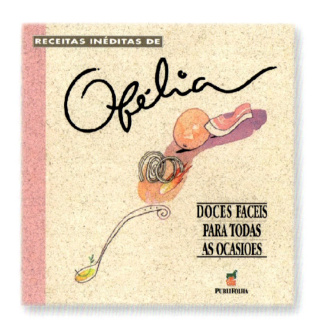

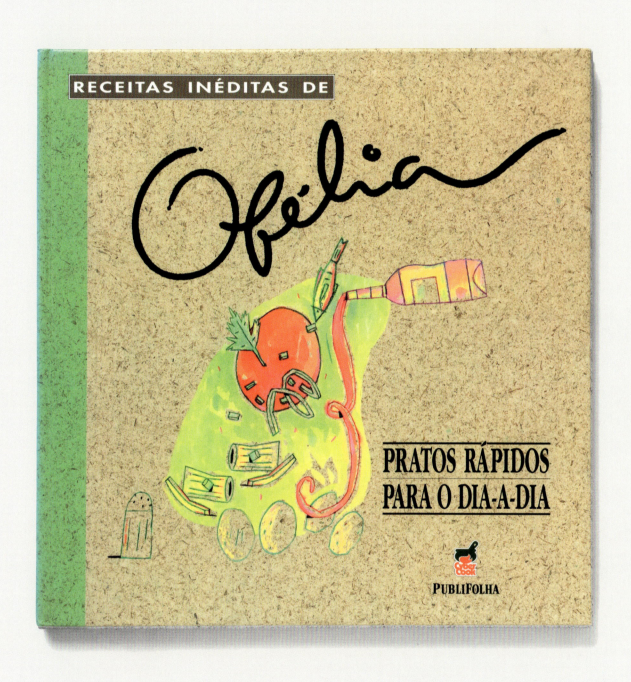

COLEÇÃO OFÉLIA | PUBLIFOLHA | 2000
ILUSTRAÇÃO LÚCIA BRANDÃO

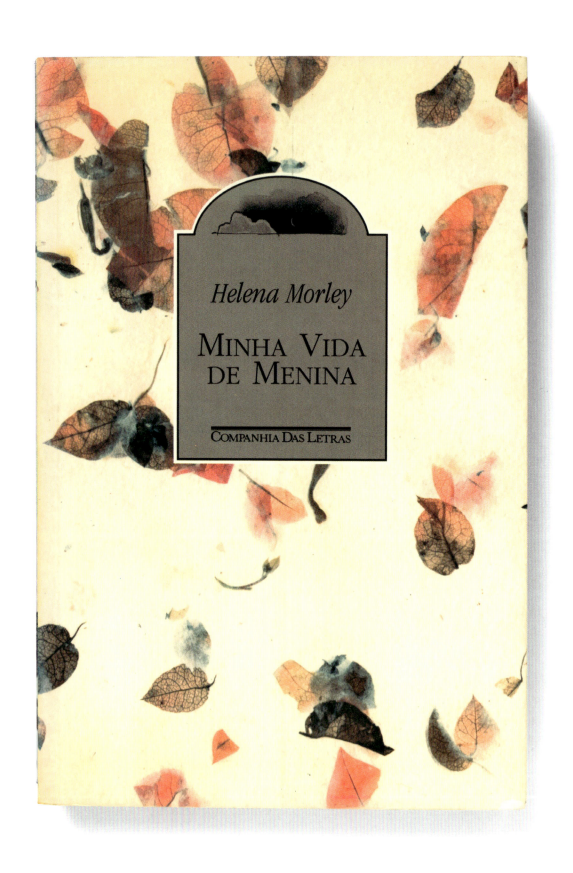

MINHA VIDA DE MENINA | COMPANHIA DAS LETRAS | 1998

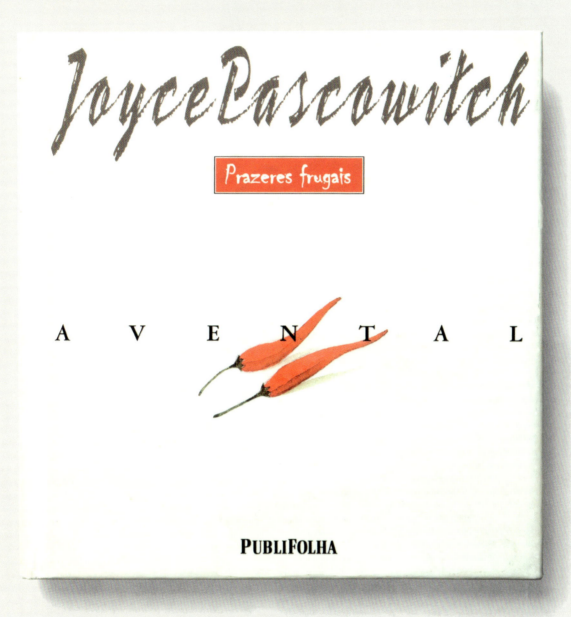

AVENTAL | PUBLIFOLHA | 1999
ILUSTRAÇÃO ALEX CERVENY

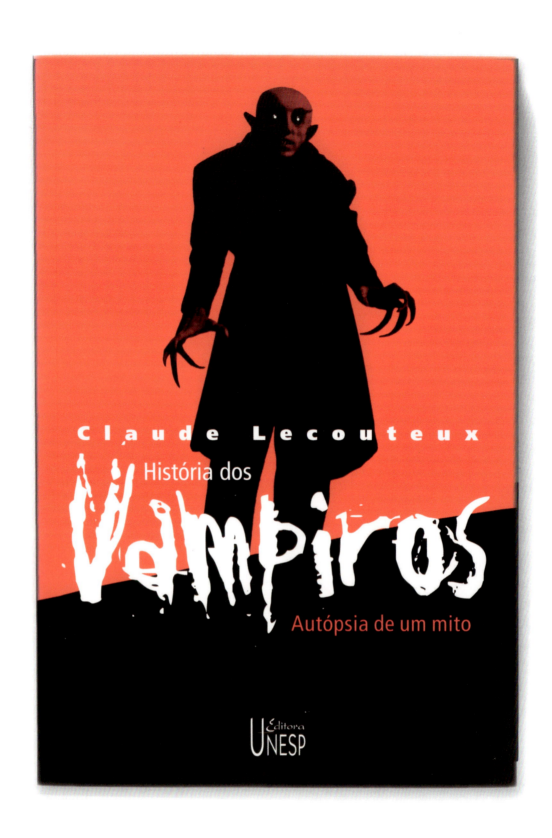

HISTÓRIA DOS VAMPIROS | EDITORA UNESP | 2005
ILUSTRAÇÃO CENA DO FILME NOSFERATU

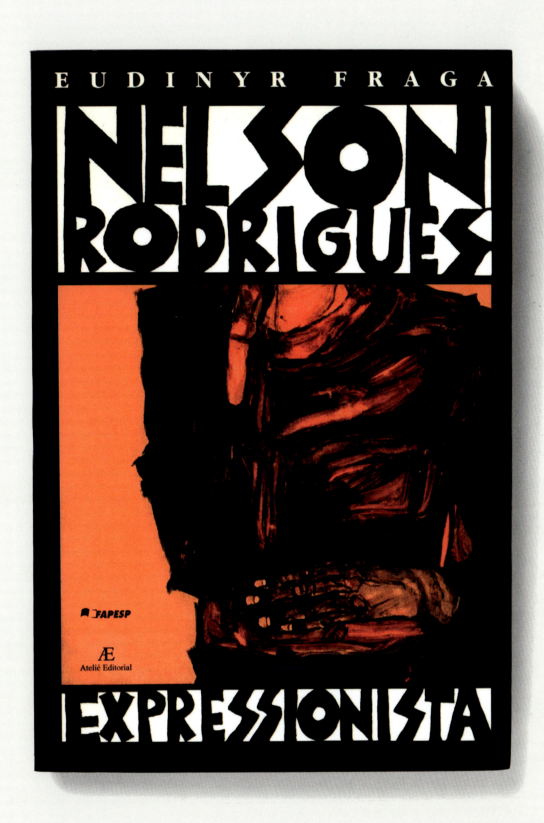

NELSON RODRIGUES EXPRESSIONISTA | ATELIÊ EDITORIAL | 1998
ILUSTRAÇÃO DETALHE AUTORRETRATO PUXANDO A FACE, DE EGON SCHIELE

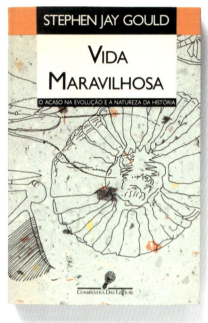

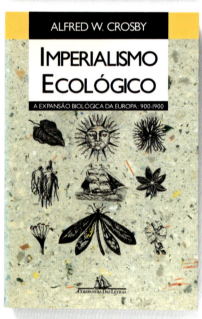

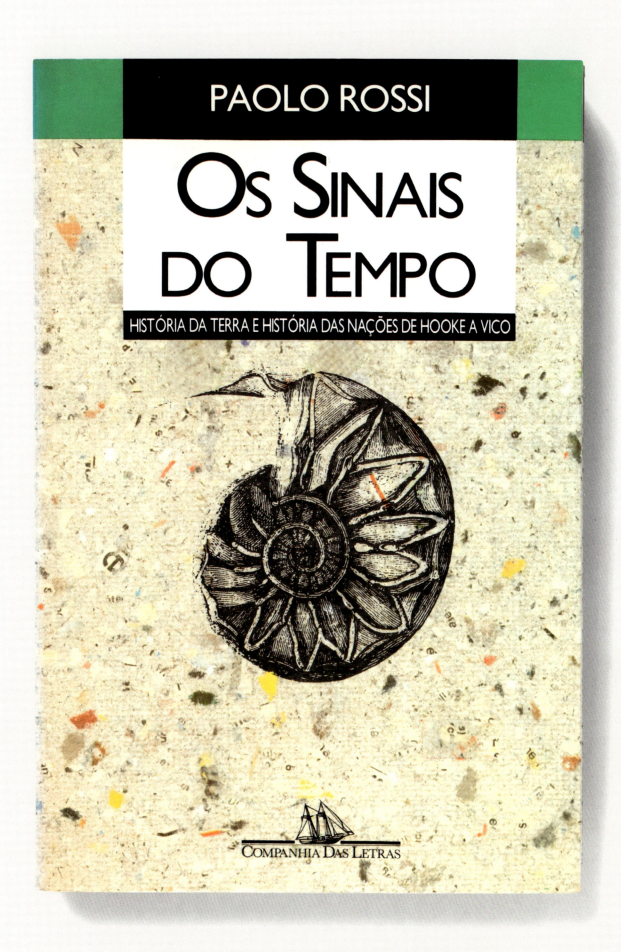

OS SINAIS DO TEMPO | COMPANHIA DAS LETRAS | 1992

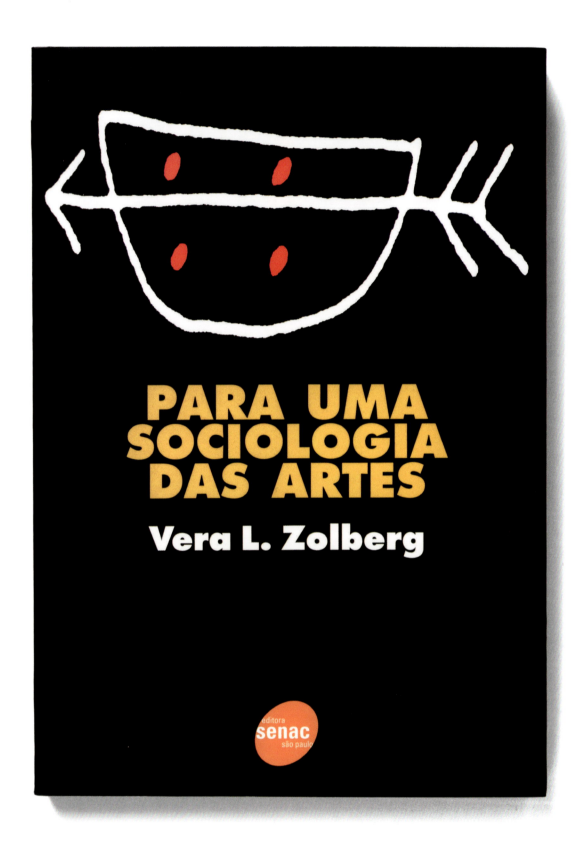

PARA UMA SOCIOLOGIA DAS ARTES | EDITORA SENAC | 2006

QUESTÃO DE GOSTO | RECORD | 2000
ILUSTRAÇÃO LUDMILA MURAWSKA

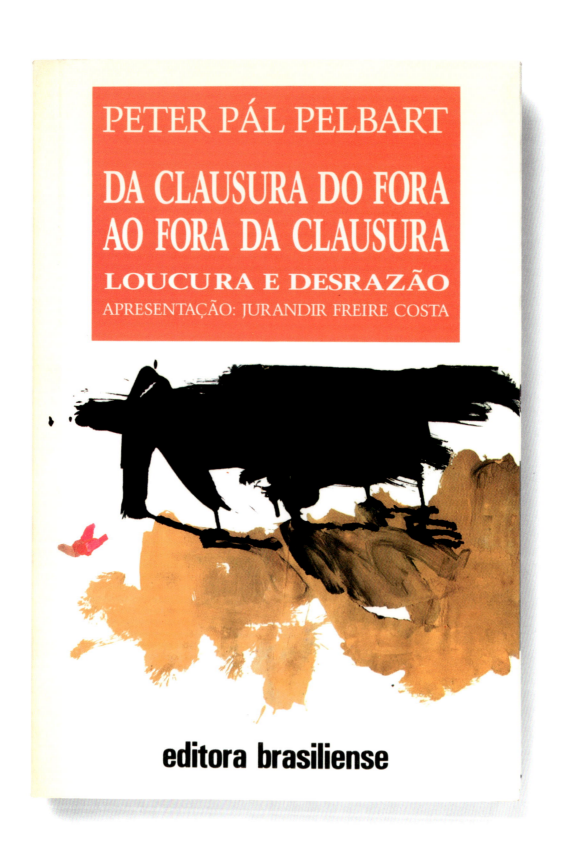

DA CLAUSURA DO FORA AO FORA DA CLAUSURA | EDITORA BRASILIENSE | 1989

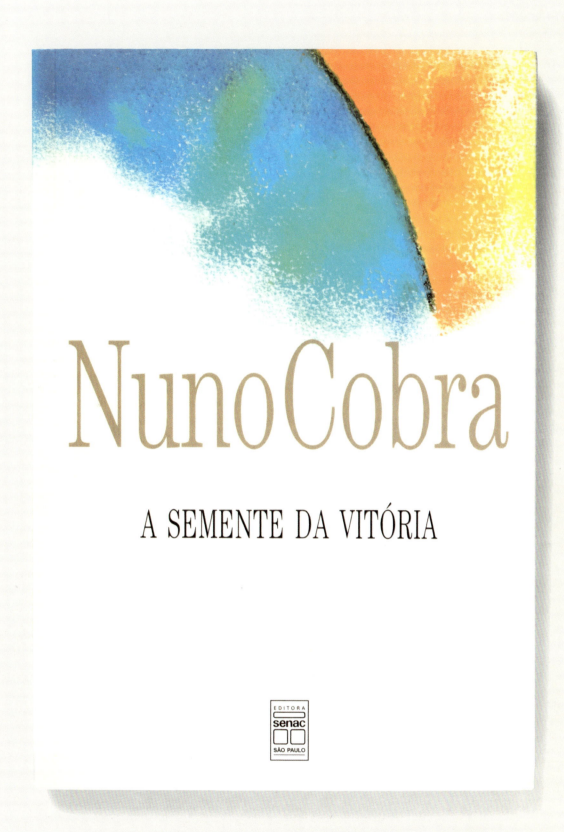

A SEMENTE DA VITÓRIA | EDITORA SENAC | 2000

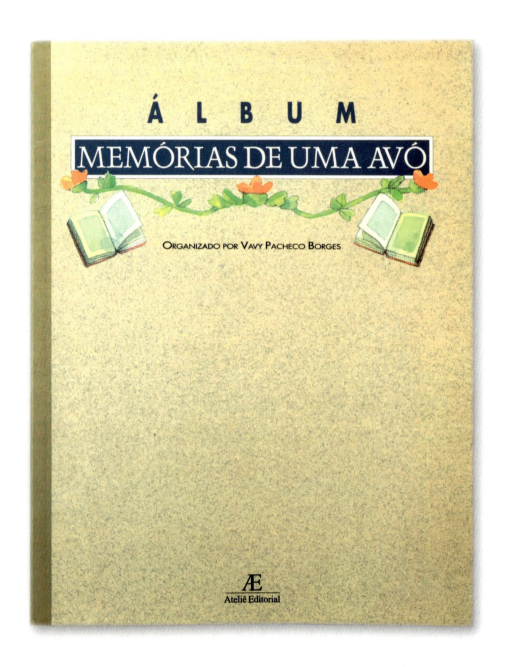

ALBUM MEMÓRIAS DE UMA AVÓ | ATELIÊ EDITORIAL | 1999
ILUSTRAÇÃO LÚCIA BRANDÃO

A VIDA E AS OPINIÕES DO CAVALHEIRO TRISTRAM SHANDY | COMPANHIA DAS LETRAS | 1998

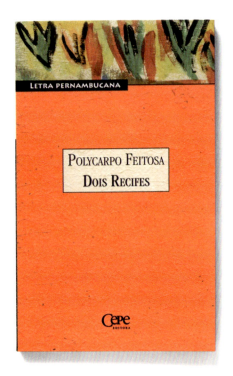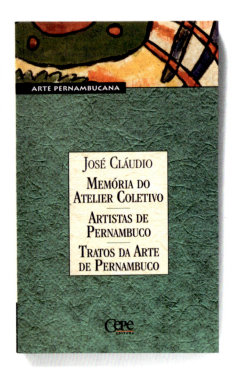

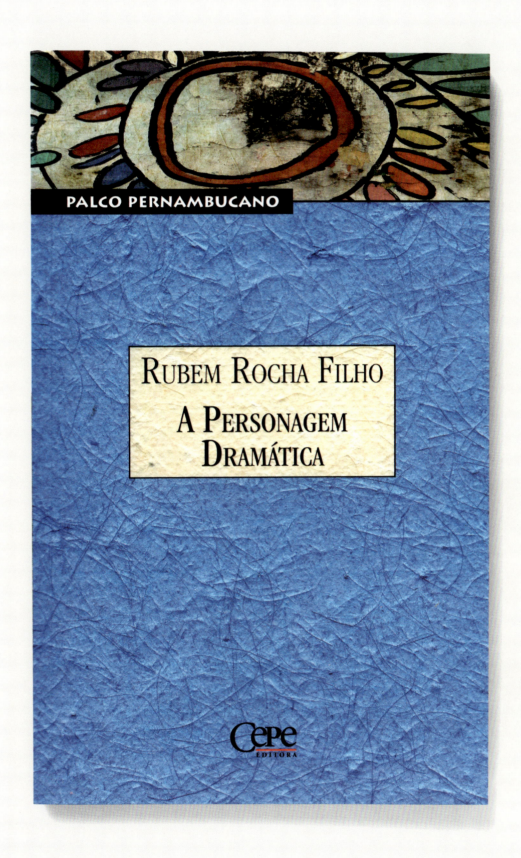

COLEÇÃO ACERVO PERNAMBUCANO | CEPE – COMPANHIA EDITORA DE PERNAMBUCO | 2010
ILUSTRAÇÃO PINTURAS NOS MUROS DE RECIFE

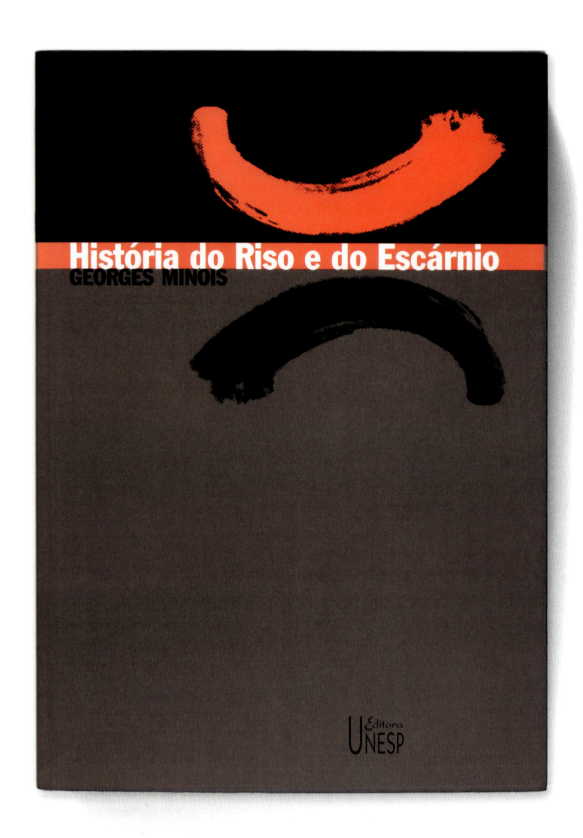

HISTÓRIA DO RISO E DO ESCÁRNIO | EDITORA UNESP | 2003

CIDADE DE ATYS | ATELIÊ EDITORIAL | 1998

CAPAS
[FOTOGRAFIA]

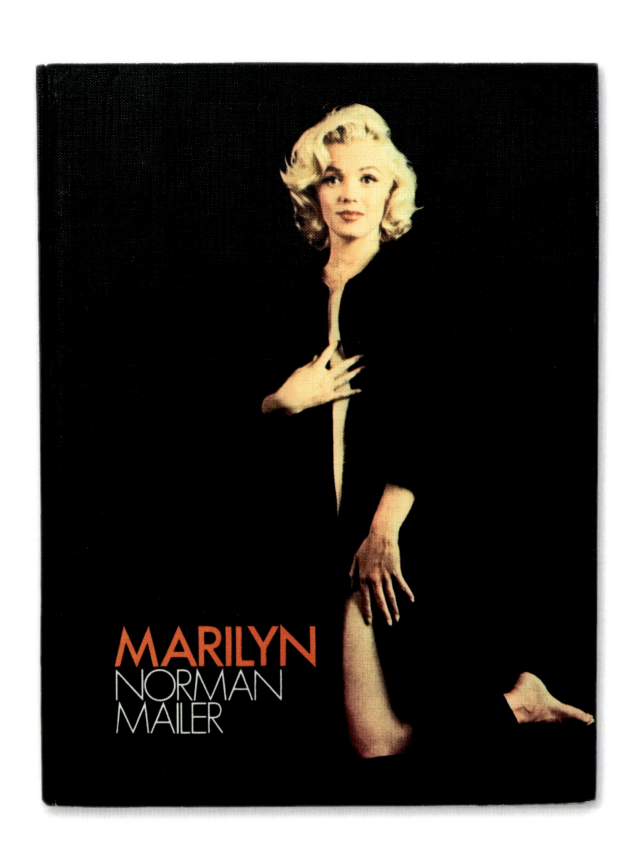

MARILYN | CÍRCULO DO LIVRO | 1974
FOTO LAWRENCE SCHILLER

A SEGUNDA VIDA DAS MULHERES | SÁ EDITORA | 2005
FOTO TERRY DOYLE | GETTY IMAGES

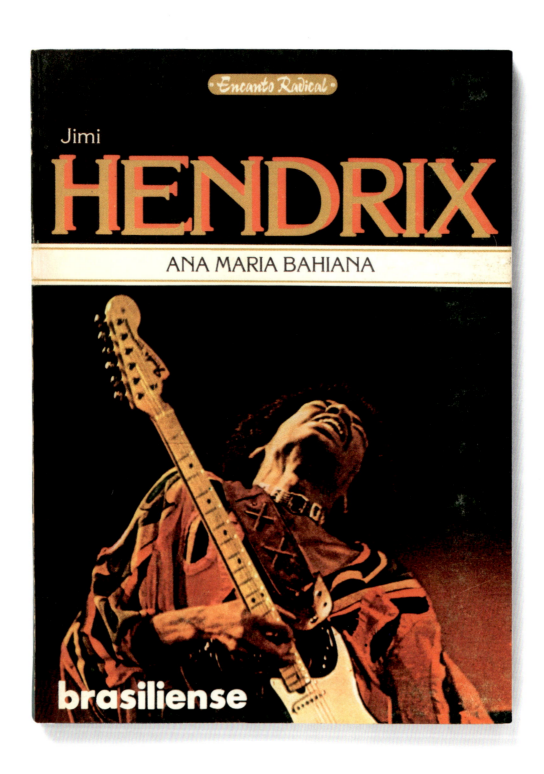

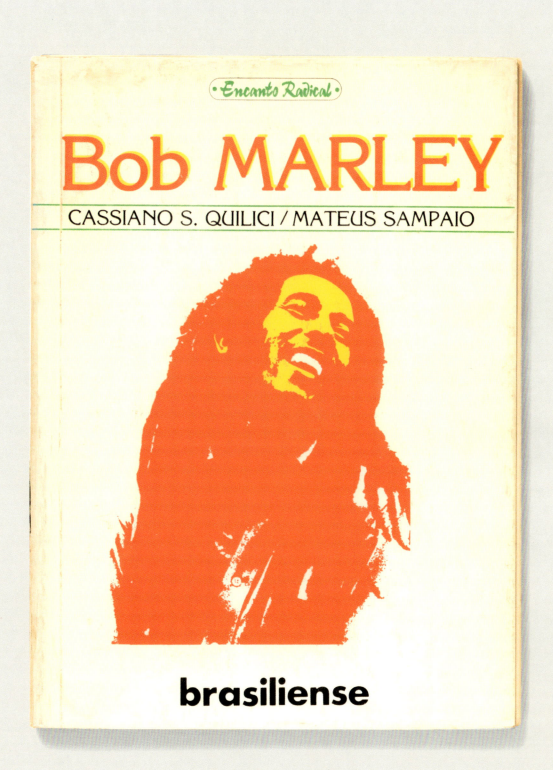

COLEÇÃO ENCANTO RADICAL | BRASILIENSE | 1987

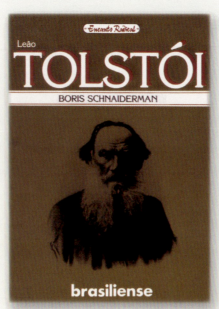
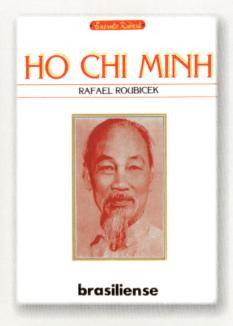
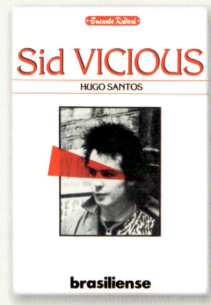
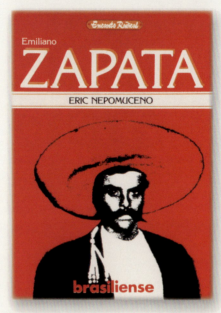
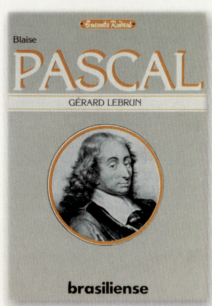
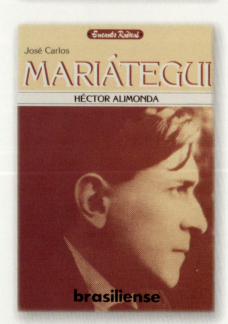

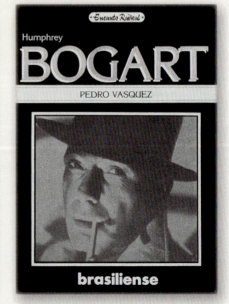

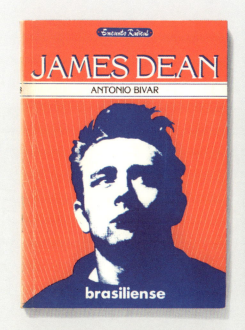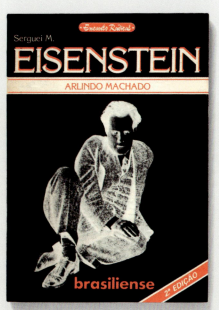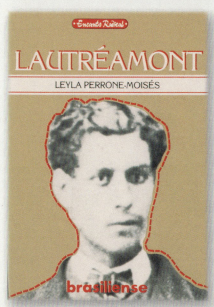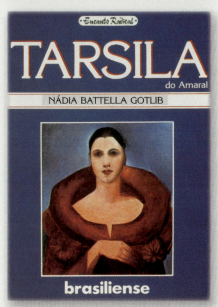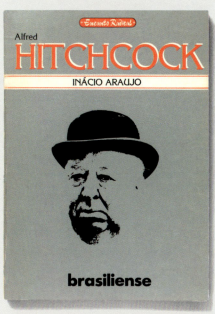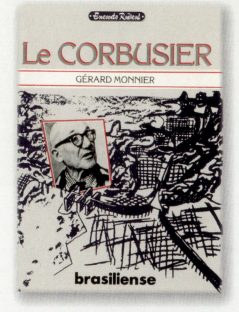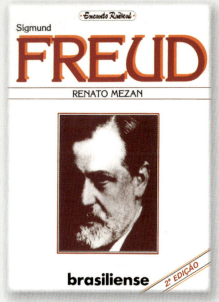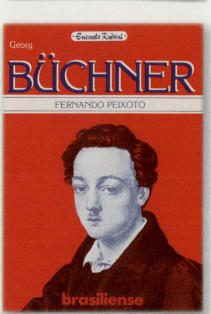

KAZUO YOSHITO OHNO | EDIÇÕES SESC | 2015
FOTO EMIDIO LUISI

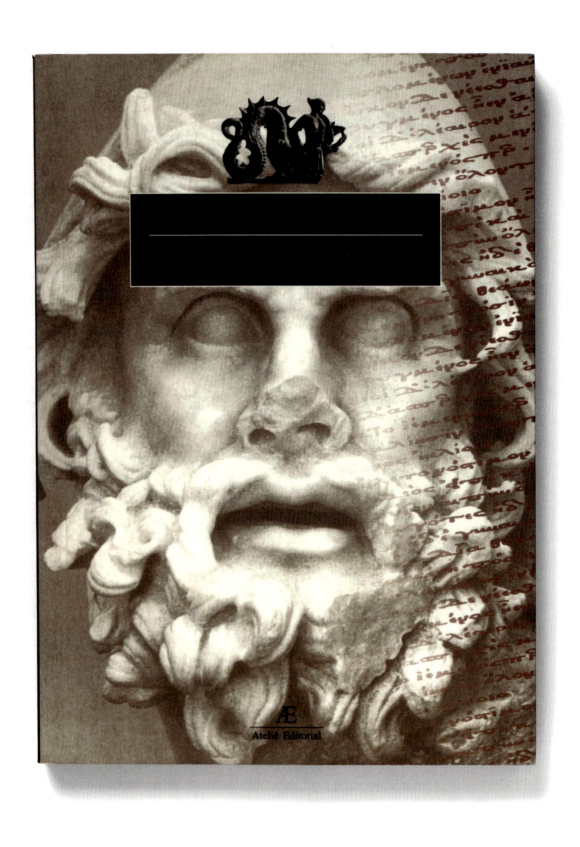

AS PORTAS DO SONHO | ATELIÊ EDITORIAL | 2002

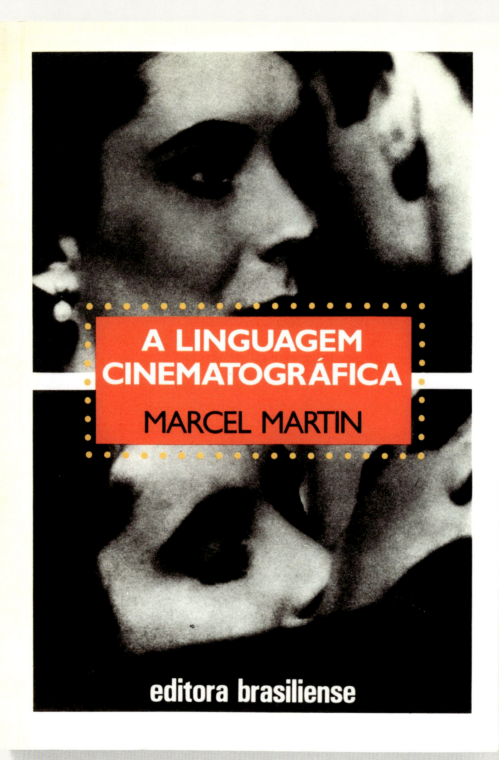

A LINGUAGEM CINEMATOGRÁFICA | EDITORA BRASILIENSE | 1990
FOTOGRAMAS DO FILME UM LUGAR AO SOL

O QUE É PSICANÁLISE | EDITORA PSIQUÉ | 1999

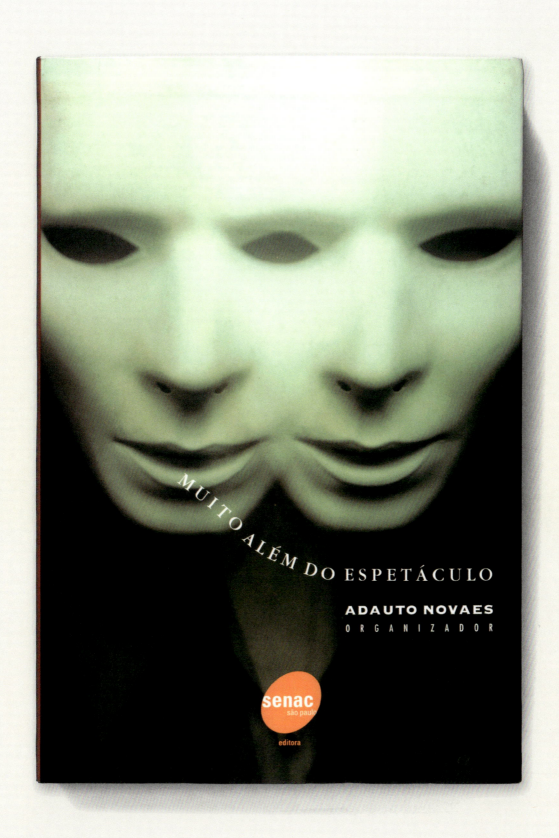

MUITO ALÉM DO ESPETÁCULO | EDITORA SENAC | 2005
FOTO JOHN CLARK

O PROBLEMA DO SOFRIMENTO | 2006   O GRANDE ABISMO | 2006

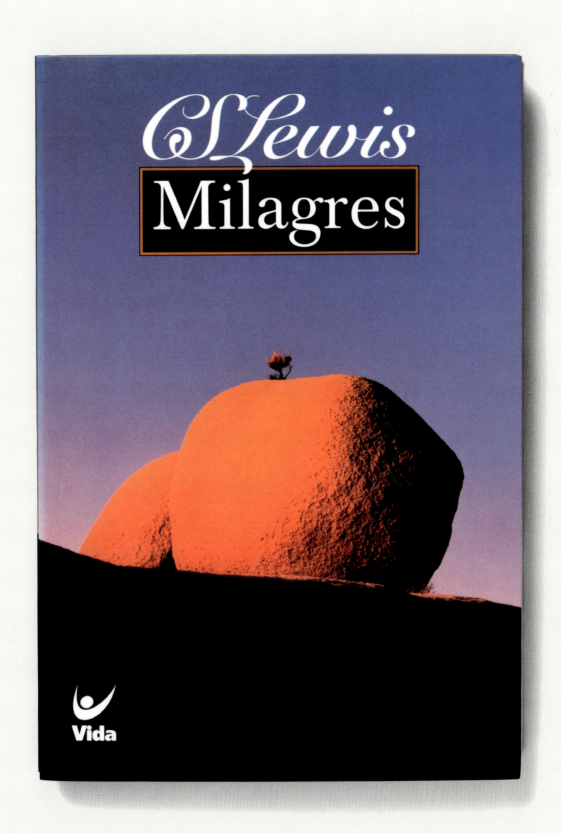

MILAGRES | EDITORA VIDA | 2006

VITÓRIA | COMPANHIA DAS LETRAS | 1999
FOTO A RAINHA VITÓRIA EM 1885. COLLECTION SIROT-ANGEL

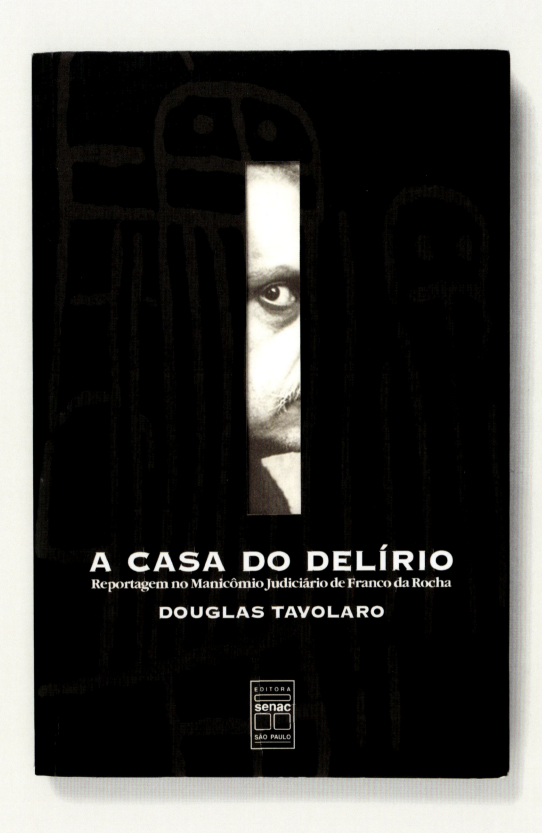

A CASA DO DELÍRIO | EDITORA SENAC | 2002
FOTO RICARDO GIRALDEZ

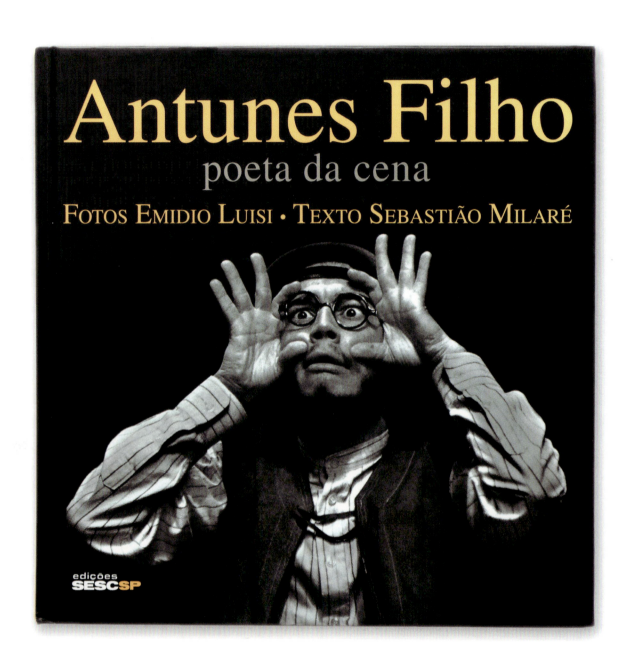

ANTUNES POETA DA CENA | EDIÇÕES SESC SP | 2011

FOTO EMIDIO LUISI

HIEROFANIA | EDIÇÕES SESC SP | 2010
FOTO PAQUITO

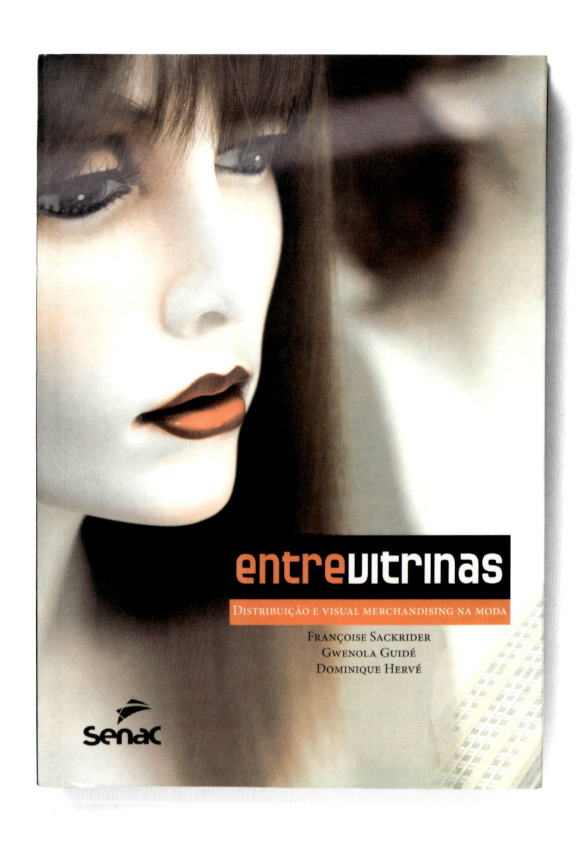

ENTREVITRINAS | EDITORA SENAC | 2009

ESTÉTICA E CIRURGIA PLÁSTICA | EDITORA SENAC | 2001
FOTO MOEMA CAVALCANTI

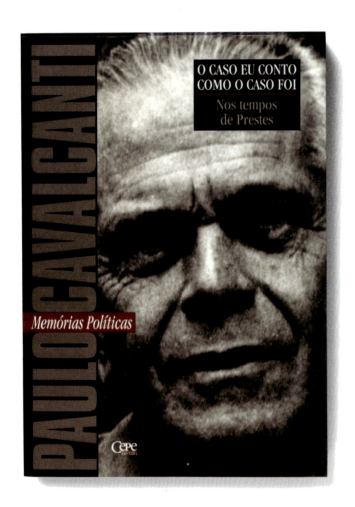
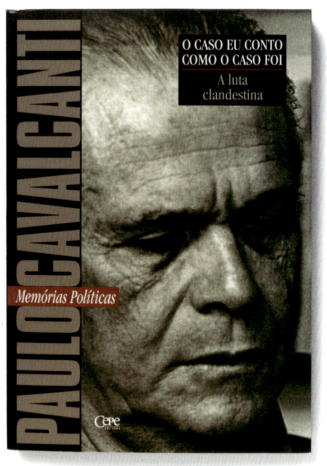

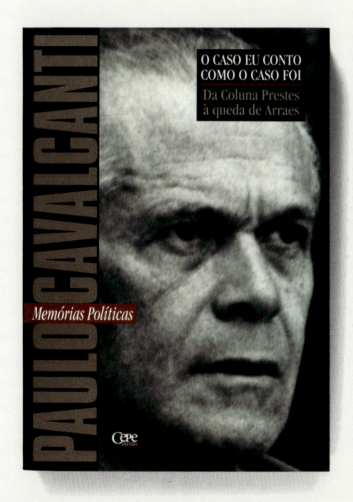
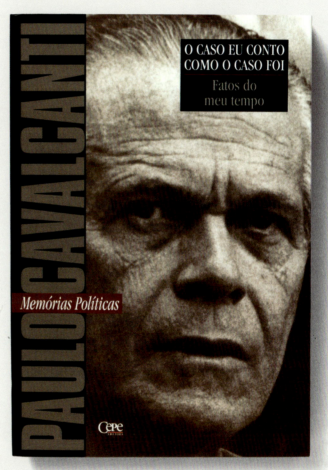

COLEÇÃO MEMÓRIAS POLÍTICAS | CEPE – COMPANHIA EDITORA DE PERNAMBUCO | 2008

FOTOS ARQUIVO PESSOAL PAULO CAVALCANTI

CAPAS
[TIPOGRAFIA]

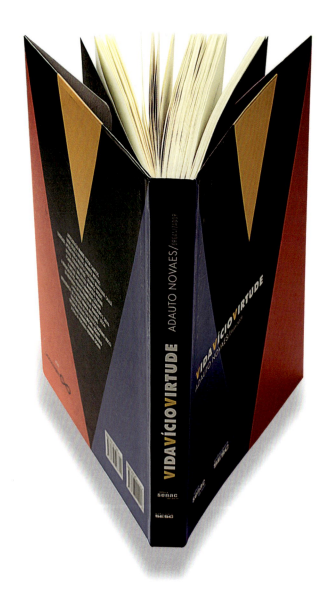

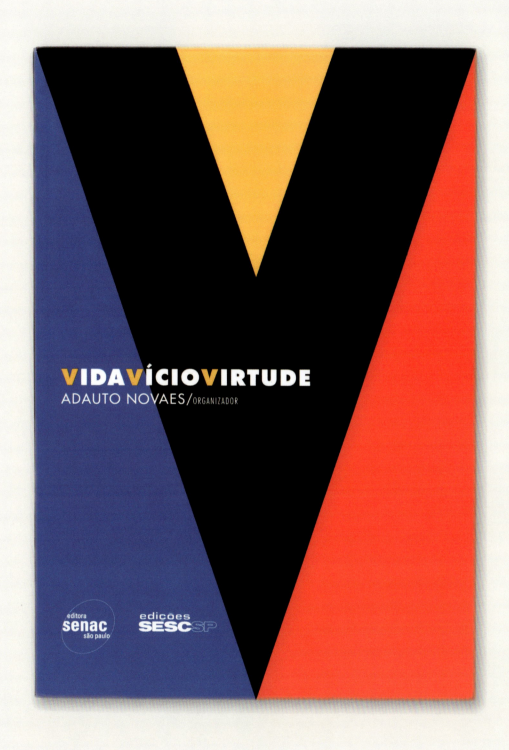

VIDA VÍCIO VIRTUDE | EDITORA SENAC | 2009

AS MONTANHAS SÃO PROIBIDAS | COMPANHIA DAS LETRAS | 1993

DESTINOS MISTOS | COMPANHIA DAS LETRAS | 1998

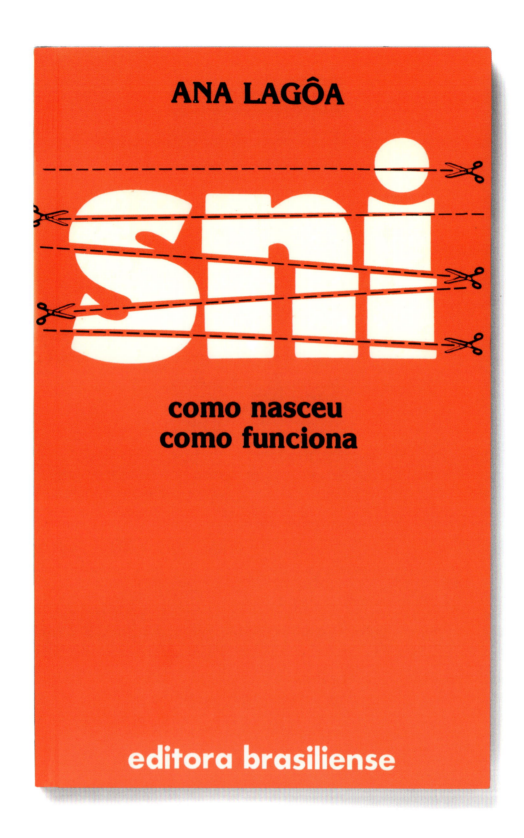

SNI | EDITORA BRASILIENSE | 1983

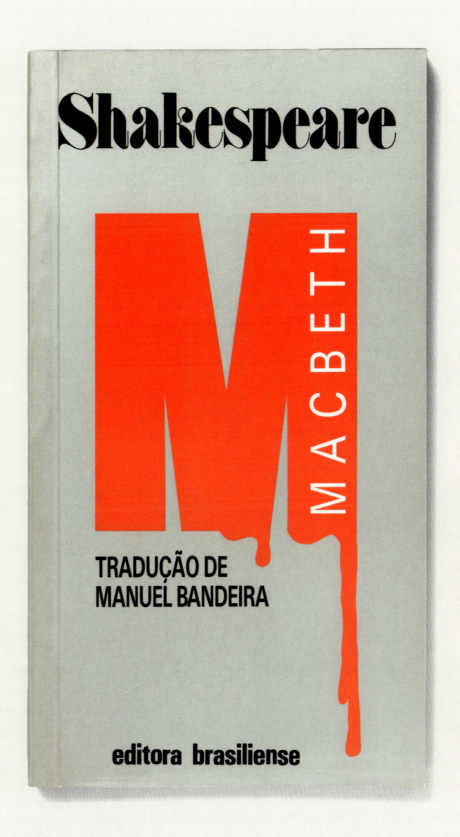

MACBETH | EDITORA BRASILIENSE | 1989

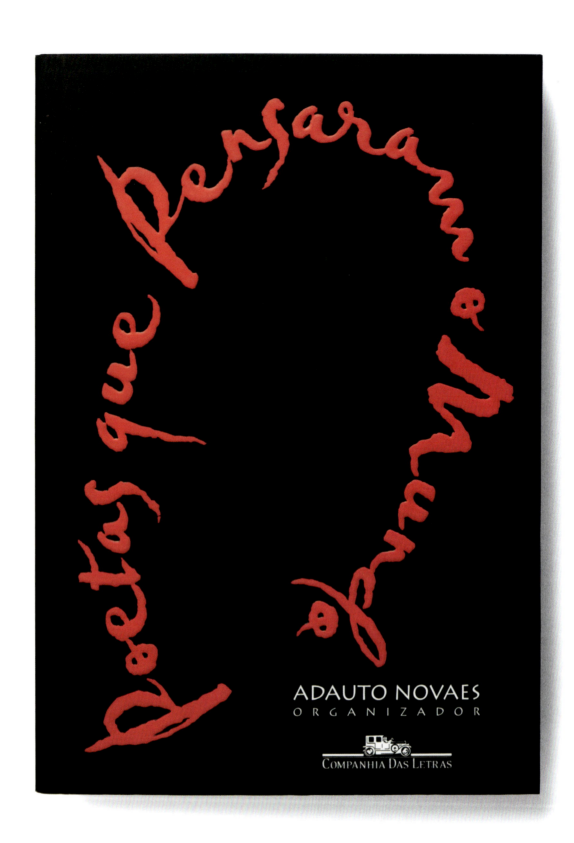

POETAS QUE PENSARAM O MUNDO | COMPANHIA DAS LETRAS | 2005

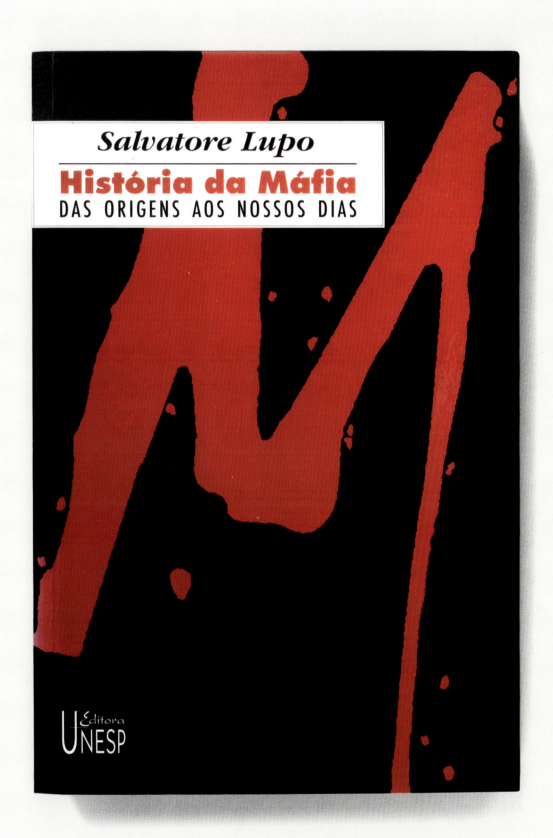

HISTÓRIA DA MÁFIA | EDITORA UNESP | 2002

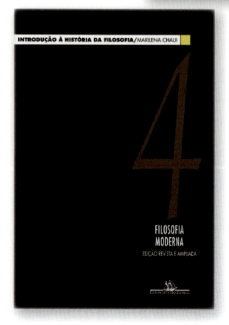

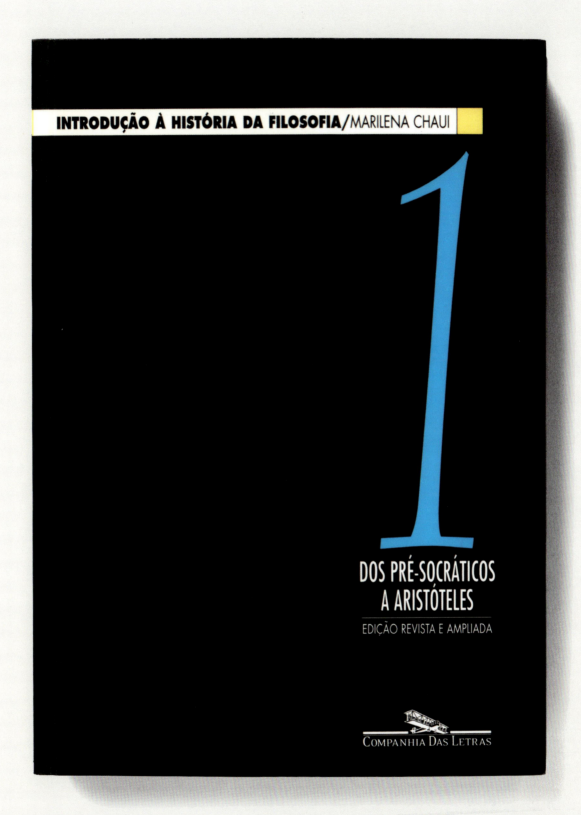

INTRODUÇÃO À HISTÓRIA DA FILOSOFIA | COMPANHIA DAS LETRAS | 2002

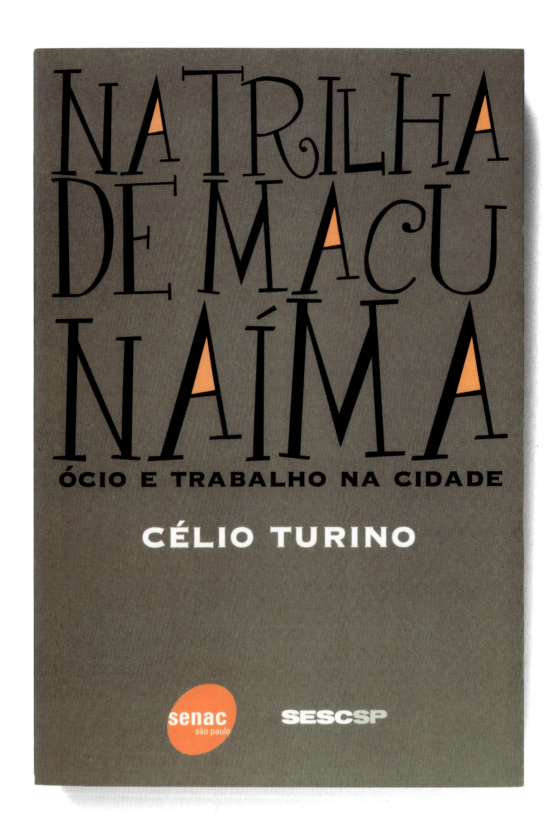

NA TRILHA DE MACUNAÍMA | EDITORA SENAC | 2005

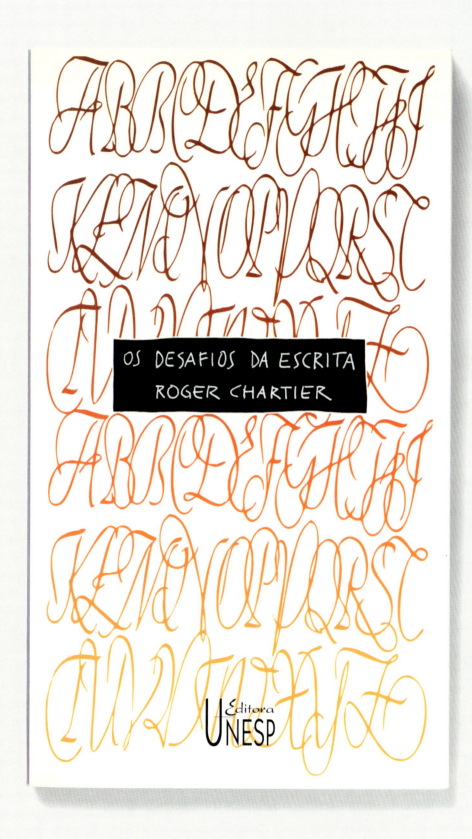

OS DESAFIOS DA ESCRITA | EDITORA UNESP | 2002

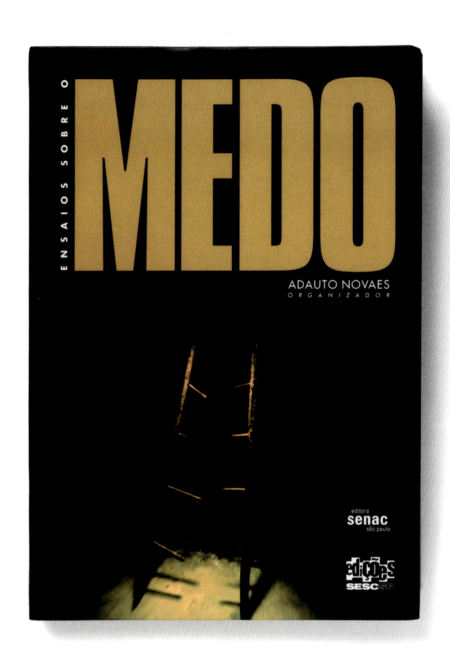

ENSAIOS SOBRE O MEDO | EDITORA SENAC | 2007

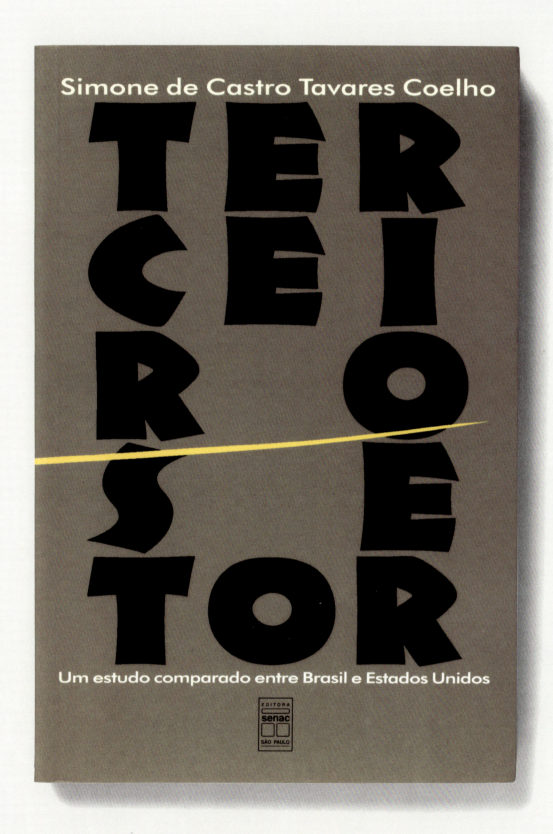

TERCEIRO SETOR | EDITORA SENAC | 2000

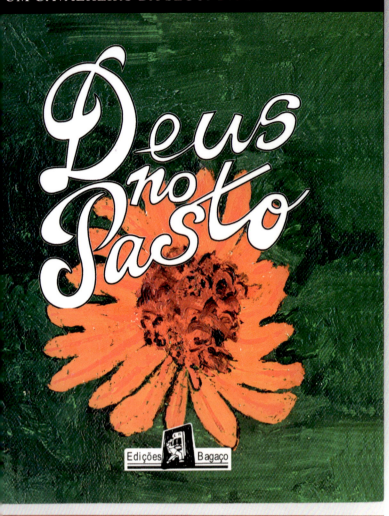
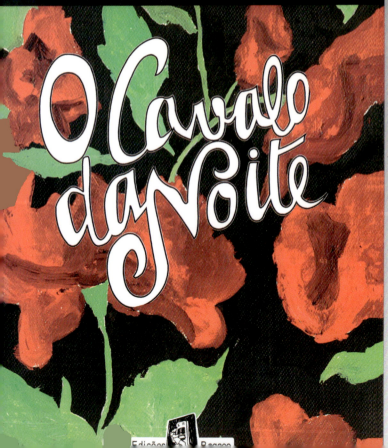
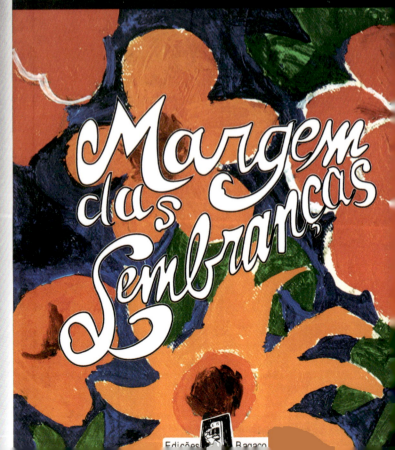

TETRALOGIA – UM CAVALHEIRO DA SEGUNDA DECADÊNCIA | EDIÇÕES BAGAÇO | 2010
ILUSTRAÇÕES JOSÉ CLÁUDIO E PAULO ROCHA

ILUSTRAÇÕES PARA
REVISTA *VEJA*

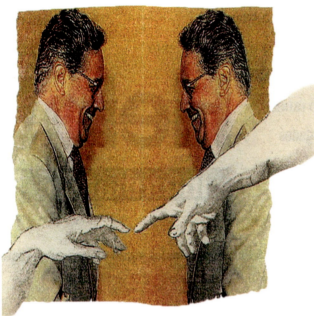

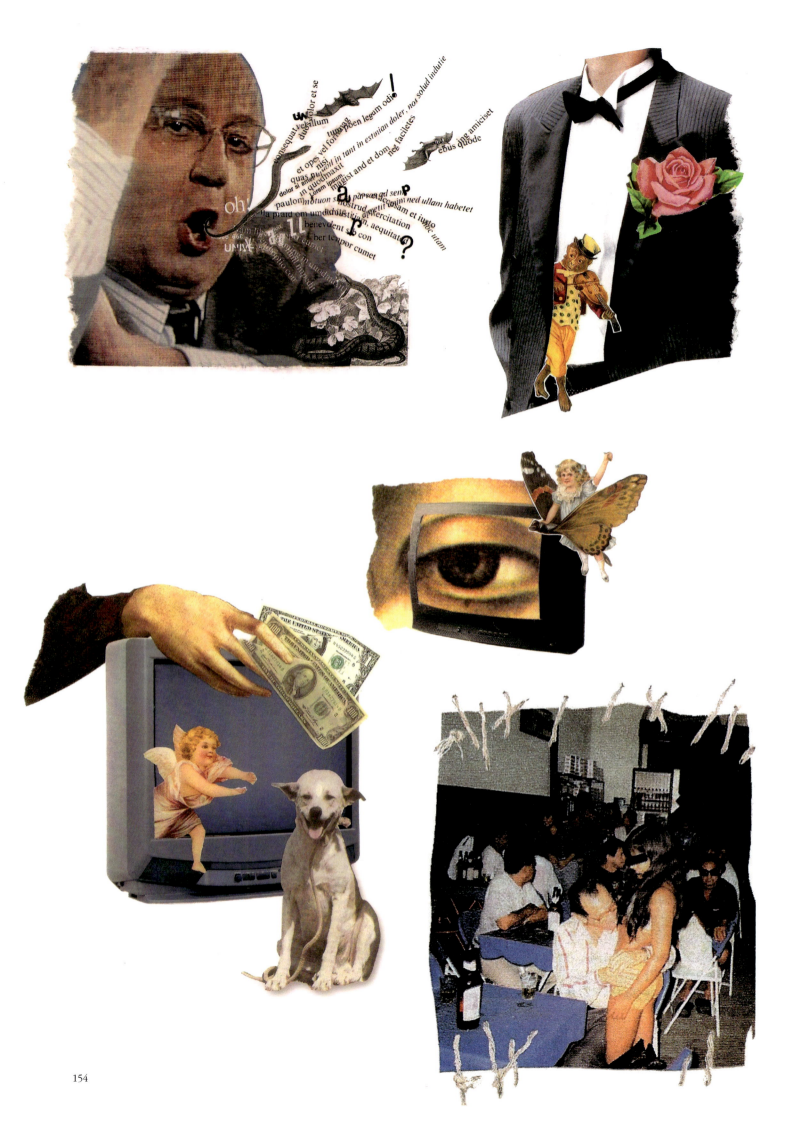

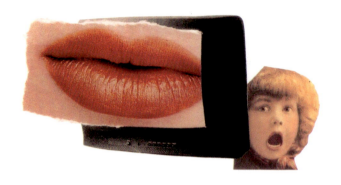
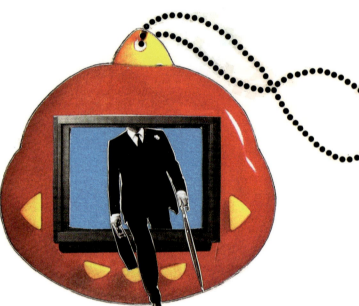

PRESENTINHOS DE DOMINGO

PRIMEIRA PIADINHA LITERÁRIA

Meu pai fazia uns retratos a bico de pena. Dois deles, enquadrados, ficavam na parede da sua biblioteca. O de Eça de Queiroz e outro de Machado de Assis. Tinha eu meus dois anos, meu pai me carregou no colo e me levou até os retratos. Eu perguntei, apontando para Eça de Queiroz:

– Quem é esse?

– É Eça.

Apontei para Machado de Assis, barbudo e de monóculo:

– E aquela?

PORQUE ME CHAMO MOEMA

Quando eu estava para nascer, meus pais levaram muito tempo para decidir o nome que iriam me dar. Queriam um nome preferencialmente brasileiro, fácil de escrever e pronunciar e que tivesse algum significado. Cogitaram até um nome russo, Tânia, mas, segundo minha mãe, quando eu crescesse as pessoas iriam me chamar de Dona Tânia, gerando assim um som estranho e desagradável, quase um cacófato.

Passaram sete meses (eu nasci de oito) discutindo o assunto. Se fosse menino, o nome já estava na ponta da língua: Carlos, para homenagear Karl Marx e Luís Carlos Prestes. De fato, meu irmão caçula se chama Carlos. Simples assim. Nem parece homenagem.

Findas as dicussões, me deram o nome de Moema, nome genuinamente brasileiro, indígena e, ainda mais: Moema é o nome da heroína do poema épico *Caramurú*, de Santa Rita Durão.

Pra quem não sabe, essa índia louca apaixonou-se por Diogo Álvares Correia e, nadando desesperadamente tentando alcançar a caravela onde estavam a sua rival Paraguassú e o seu amado Diogo indo para as *Oropas*, foi tragada pelas águas. Seu corpo apareceu na praia no dia seguinte.

Pois bem. Naquela época, em Recife, quem haveria de imaginar que passados mais de vinte anos eu, para fugir da repressão dos anos de chumbo, acabaria exilada em São Paulo, onde vivo até hoje.

Acontece que, em São Paulo, Moema é o nome de um bairro que não para de crescer. É também nome de avenida, bar, açougue, padaria, pizzaria, hospital etc. Moema é até nome de prédio...

Moema é praticamente uma floresta de concreto. E haja anúncios nos jornais pra vender todos aqueles apartamentos!

Os anúncios vão de discretos convites, elogios deslavados... até afirmações que me deixam, digamos, constrangida e com medo de não corresponder às expectativas.

Concluindo: hoje, quando eu sou apresentada a alguém e digo:
— Muito prazer, Moema — o outro responde prontamente:
— O prazer é todo meu, Tatuapé!
E mais: ninguém acerta o meu nome. Só me chamam de Noêmia.
E eu ainda tenho que conviver com mais uma coisa dessa:

Ninguém merece!
Em tempo: Moema significa "exausta".

COMEÇANDO PELO COMEÇO

Surpreendida (e inspirada) por esta plaquinha que fotografei na rua do Amparo, em Olinda, dois anos atrás, me pego continuamente procurando decifrar mensagens claras, diretas, às vezes subliminares, outras vezes não tão claras, em tudo que passa pelo meu olhar. Não que eu tenha chifres, nem desconfie que alguém anda me traindo, talvez por deformação profissional, obsessão, neuropsicose ou simplesmente por falta do que fazer. Tudo começou no campus da Facamp, em Campinas, onde dou aulas semanalmente.

Ao me deparar com esse pé de jasmim-vapor começando a florescer, imediatamente comecei a descobrir letras. Vi um L, um W, um A, I, X, Y, V, M, E.

É cada letra no seu galho, xô xuá
Eu não me canso de olhar, xô xuá...

E no ABC do Santeiro,
O que diz o A, o que diz o A? O A diz adeus à matriz,
O que diz o B, o que diz o B? O B é a batalha da morte,
O que diz o C, o que diz o C? Coitado do povo infeliz...

Procurando com jeitinho, dá até pra ler algumas palavras: mexa, lixa, liza, vai...

LONDRES, INVERNO DE 2012·2013

A OBSESSÃO LEVADA AO EXTREMO

Londres no inverno, com suas árvores nuas, esqueléticas, é um permanente convite à leitura. Aos poucos, fui me familiarizando com o alfabeto a ponto de conseguir ler e entender um pouco da literatura inglesa.

Primeiro volume da obra teatral de Shakespeare.

Catálogo da coleção outono/inverno da *London Fashion Week*.

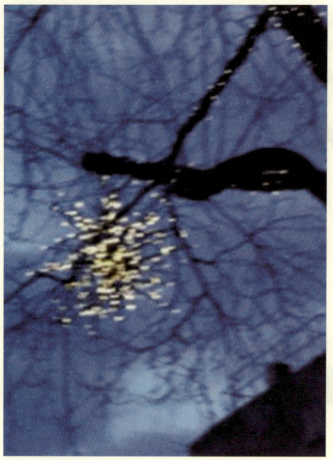
Uma página de livro com sua elegante capitular.

A sombra do editor sobre o escritor iniciante.

Olhando pro céu eu vi
Uma lua a brilhar.
Os galhos até se abriram
Para a gente admirar.

Eu vi a lua brotando
Do galho, às três da tarde.
Em Londres, eu passeando,
Surgiu assim, sem alarde.

Diálogos improváveis.

Mensagens do céu.

Notinha na *Time Out* desta semana:
João Gilberto abre o show no
Royal Albert Hall cantando
"Samba da bênção", de Vinicius de Moraes:
É melhor ser alegre que ser triste /
Alegria é a melhor coisa que existe...

Um texto revisado.

Primeira página de um tabloide sensacionalista.

Um *haikai*.

Conto de terror de Edgar Allan Poe.

Biblioteca pública de Hampstead.

Livro proibido.

A diversidade de estilos literários ingleses.

Um conto de Agatha Christie.

Livro de receitas vegetarianas de Jamie Oliver.

Biografia de Jack, *the stripper*.

Primeiros escritos, primeiras leituras.

O poder da crítica literária.

Quatro livros na estante.

Texto frio.

Poema triste.

Primeiros escritos de George Orwell.

Um livro ilustrado.

Iluminura do século XIII.

Um poema de amor de John Keats.

Literatura engajada, refletindo a realidade.

Um conto curto.

Um texto envolvente.

E-mails dos apaixonados pela vizinha do prédio em frente.

MOTO-CONTÍNUO
REGISTROS FOTOGRÁFICOS DA JANELA DO MEU QUARTO

Allegretto con brio

Molto triste

Allegro di molto

Allegro assai

Adagietto con luna bianca

Bello quasi triste

Allegretto con seguranza

Marcia funebre

Adagio sostenuto

Adagio chiaroscuro

Minuetto

Allegro e passeggero

Allegro con la luna

Rondó gracioso

Allegro e luminoso

Bellissimo al chiaro di luna

Sollene adatto

Gioioso con espressione

Largo con grande espressione

Allegro piacevole

Vibratto assai

Adagio con espressione

Largo appassionato

Adagio con colori allegri

Lentamente quasi fermandosi

Allegro con spirito

Andante con variazione

Larghetto elegíaco

Presto agitatto

Requiem del giorno

A VIDA É QUE NEM UMA SONATA: CHEIA DE MOVIMENTOS.

CORDEL DA MOÇA QUE VEIO DE LONGE

A MOÇA E A MÃE DA MOÇA
para Maria Luísa

Aos amigos de domingo
Eu vou tê de avisá
Hoje num tem presentinho
Não adianta chorá.
Além de muito trabalho
Que eu tenho pra fazê
Tô cum a filha em casa
Coisa rara, pode crê!
Mora distante a mocinha
Pras banda num sei de quê.

A menina veio de longe
Lá do reino da rainha
Daquela terra bem fria
(Vê se você adivinha!)
Onde se come biscoito
E toma chá todo dia.

Ela chega, é corre-corre
Vai pra lá e vem pra cá
A véia-mãe quase morre
De tanto se desdobrá.
Tem de tê pãozinho de queijo
Pão francês e requeijão
Farofa, couve mineira
Arroz branco cum feijão.
Sem falá pudim de leite
Paçoquinha, brigadeiro.
Deixando a menina doida
Sem sabê qual dos quitutes
Ela vai comer primeiro.

Dessa vez veio a trabalho
(Nem trouxe o filho cum ela)
Passa o dia no compú,
Telefone e internete
Fala cum Deus e o mundo
Sai pra jantar todo dia,
Não lhe falta companhia.

A filha tá indo embora
Lá pras terras da rainha
E eu fico por aqui
Vendo o dia amanhecê
Eu já tô de agonia
Fico aqui só pensando:
Quando é quessa menina
Vem de novo pra me vê?

FIM

ALI ONDE EU CHOREI QUALQUER UM CHORAVA

OU... AS LÁGRIMAS AMARGAS E DOCES DE MOEMA CAVALCANTI

LÁGRIMAS NO PAPEL. A MINHA MORTE DE NOEL

Noel Rosa morreu aos 26 anos de idade, alguns anos antes de eu nascer. Durante a minha infância, os sambas de Noel estavam frescos na memória de quem foi seu contemporâneo. Meu pai tinha todos os discos de Araci de Almeida, a maior intérprete do grande compositor.

Era de lei: aos domingos, a vitrola RCA Victor não dava conta de repetir "O orvalho vem caindo", "Feitio de oração", "Com que roupa", "Feitiço da Vila", "Último desejo", "Três apitos"...

Poucos anos atrás, li a biografia de Noel. Eu sempre soube que a tuberculose o havia matado ainda jovem. Acompanhei durante noites e noites, todo o sofrimento de Noel pelas páginas do livro. Numa noite fria de sexta-feira, me deparo com a descrição da sua morte.

Muito debilitado pela doença, ele e a mãe resolvem deixar a pensão em Petrópolis, onde ele tentava se tratar, e voltar num carro de aluguel pra sua casa no Rio de Janeiro, não sem antes passar pelo constrangimento de ver seus lençóis, travesseiros e colchões serem incinerados pela dona da pensão, em plena calçada.

Três ou quatro dias depois, na noite da sua morte, um vizinho festejava o aniversário da filha, botando na vitrola os discos de Noel, quando alguém lhe avisou que o próprio Noel agonizava na casa ao lado. Constrangido, correu à casa do compositor e prometeu parar com a festa. Noel, com muito esforço, pediu que a festa continuasse.

Morreu minutos depois, dedilhando na mesa de cabeceira o ritmo e a melodia de seus sambas.

CHORANDO NO ESCURO

A pessoa é para o que nasce
Minhas lágrimas corriam soltas vendo esse filme.

Eu, você e todos nós
A cena do sapato e a sequência do peixinho.

José e Pilar
Um homem, uma mulher, um amor. Tudo foi dito, tudo foi escrito, tudo vivido e documentado.

Show de Truman, o final
Chorei muito aqui. Tenho medo de chegar muito perto e acabar descobrindo que tudo não passa de um cenário.

Na *Dúvida, Doubt*
Duelo magistral de dois atores: Meryl Streep e Philip Seymour Hoffman.

CHORANDO NA FRENTE DA TELINHA

O pavão misterioso
Amarcord é o filme mais "chorável" de Fellini. Principalmente se visto agora, com outros olhos e deixando que caiam outras lágrimas.

Reveja uma das cenas mais bonitas de toda a história do cinema: *O pavão e a neve.*

LÁGRIMAS DE INVEJA

Meu Deus, porque não sei fazer isso? Veja o site do artista russo Gvozdariki.

CHORINHO DE EMOÇÃO E SAUDADE

Jabutis em família

Recebi um dos meus prêmios Jabuti cinquenta anos depois que o meu pai ganhou o dele.

DUAS LÁGRIMAS AO MESMO TEMPO. OU QUATRO

Pukê, why, pourquoi?

– Vovó, você pode ir pra Londres comigo?
– Não, Vicente. A vovó precisa trabalhar.
– Por quê?
– Porque a vovó precisa ganhar dinheiro...
– Pra quê?
– Pra comprar comida, livros...
– Lá na minha casa tem computador...
– Eu sei...
– Tem dois...
– Mas por quê você quer que eu vá pra Londres com você?
– Pra você pegar na minha mão até eu dormir...

COISA DE MÃE CHORONA

Pais e filhos

Ver os filhos amorosos e dedicados aos filhos, não tem preço.
E quando os filhos são a cópia dos pais?

A VIDA É UMA CAIXA DE BOMBOM...

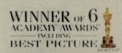

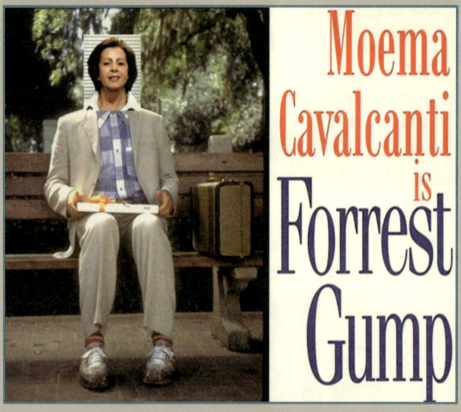

...VOCÊ NUNCA SABE O QUE VAI ENCONTRAR.

VI TUDO ISTO ACONTECER

O FIM DA II GUERRA A MORTE DE GETÚLIO, DE CARMEM MIRANDA E DE EVA PERÓN BRANCA DE NEVE NO CINEMA GUERRA DA COREIA CHICO ALVES A QUEDA DE ARRAES A COROAÇÃO DA RAINHA ELIZABETH A REVOLUÇÃO CUBANA O ATENTADO NO AEROPORTO DO RECIFE AS CHANCHADAS DA ATLÂNTIDA BAILINHOS O PETRÓLEO É NOSSO CIDADÃO KANE A ABERTURA DO CANAL DO PANAMÁ OSCARITO E GRANDE OTELO CYLL FARNEY E ELIANA OS PROGRAMAS DE AUDITÓRIO DA RÁDIO JORNAL DO COMMERCIO MARTA ROCHA O *REPÓRTER ESSO* ALBERTINHO LIMONTA E O *DIREITO DE NASCER* O SURGIMENTO DA BOSSA NOVA A GUERRA FRIA JOÃO GILBERTO *CHEGA DE SAUDADE* AS MARCHINHAS DE JOÃO DE BARRO BRASIL, CAMPEÃO DA COPA DA SUÉCIA OS ANOS JK JUCA CHAVES E O *PRESIDENTE BOSSA NOVA* INAUGURAÇÃO DE BRASÍLIA A RENÚNCIA DE JÂNIO JOVEM GUARDA JANGO NO PODER CHE GUEVARA NA FACULDADE DE DIREITO DO RECIFE SARTRE E SIMONE DE BEAUVOIR NO RECIFE A MORTE DE CHE ALAIN DELON O PRIMEIRO FUSCA BRASILEIRO GAGARIN NO ESPAÇO VALENTINA, A PRIMEIRA MULHER ASTRONAUTA PAT BOONE CANTANDO "BERNARDINE" OS CONFLITOS RACIAIS NOS EUA ELVIS E "TUTTI FRUTTI" O MITO MARILYN A TELEVISÃO NO BRASIL CINTURA FINA E SAIA DE ARMAR O GOLPE DE 64 A *NOITE* DE ANTONIONNI *PODEM ME BATER, PODEM ME PRENDER, MAS EU NÃO MUDO DE OPINIÃO* ASSASSINATO DE JFK DICK FARNEY CANTANDO "ALGUÉM COMO TU" CALÇA BOCA DE SINO GLAUBER O CINEMA NOVO OS FESTIVAIS DA RECORD DZI CROQUETES A TV COLORIDA THE PLATTERS *CARCARÁ, PEGA MATA E COME* CHICO BUARQUE E "PEDRO PEDREIRO" *MAFALDA* A LÁGRIMA DO URSINHO MICHA NA DESPEDIDA DAS OLIMPIADAS DE MOSCOU ATARI OS BAIANOS JACKIE O OS NOVOS BAIANOS OS AFRO-SAMBAS DE VINICIUS E BADEN GUERRA DAS MALVINAS THE BEATLES "FRUTA GOGÓIA" A MORTE DE MARIGUELLA FELLINI O MILÉSIMO GOL DE PELÉ DO 78 RPM PARA O *LONG-PLAY* DO *LONG-PLAY* PARA O CD E DO CD PARA O MP3 A MORTE DO PAPA UM MÊS DEPOIS DO OUTRO OS MENUDOS FRANK SINATRA NO MARACANÃ CRUZEIRO, CRUZADO, CRUZEIRO NOVO E REAL TROPICALISMO O VIDEOCASSETE GOLPE DE PINOCHET NO CHILE RONALD REAGAN PRESIDENTE DOS EEUU *DANCING DAYS* A PONTE RIO-NITERÓI O *PASQUIM* A ABERTURA LENTA E GRADUAL VESTIDO TUBINHO MIKHAIL GORBATCHEV A VOLTA DOS ANISTIADOS *DONKEYCONG* A REDEMOCRATIZAÇÃO A REVOLUÇÃO DOS CRAVOS O ORGASMO DE *MALU MULHER* DISCOTECA SUPERMAN NO CINEMA *GABRIELA* DE BRUNO BARRETO O ATENTADO NO RIOCENTRO ATENTADOS A REAGAN, THATCHER E AO PAPA JOÃO PAULO II A NOVA CONSTITUIÇÃO BRASILEIRA DIRETAS JÁ! A MORTE DE TANCREDO TELEFONE SEM FIO A QUEDA DO MURO DE BERLIM DESCOBERTA DA AIDS EMERSON FITTIPALDI GANHA AS 500 MILHAS SARNEY TOMA O BRASIL DE ASSALTO COLLOR E O CONFISCO DA POUPANÇA A MORTE DA PRINCESA DIANA MICHAEL JACKSON A GUERRA DO GOLFO OS ANOS FHC GENOCÍDIO DE RUANDA LULA E O PT PAULO COELHO O *IMPEACHMENT* A MODA *GRUNGE* TELESCÓPIO HUBBLER HEAVY METAL 11 DE SETEMBRO *POKEMÓN TAMAGÓSHI* MADONNA A MORTE DE CHICO MENDES E DE ODETE ROITMAN DESENVOLVIMENTO DOS PC'S E MAC VIDA E MORTE DA TV MANCHETE MAMONAS ASSASSINAS AS BRIGAS PELO PETRÓLEO FIM DO *APARTHEID* NA ÁFRICA DO SUL O PROJETO GENOMA *GREENPEACE* CHICO SCIENCE E NAÇÃO ZUMBI O MEDO DO *BUG DO MILÊNIO* INTERNET, CELULAR E DVD MÔNICA LEWINSKI E CLINTON MASSACRE EM COLUMBINE A VIRADA DO SÉCULO SARAMAGO GANHA O PRÊMIO NOBEL HARRY POTTER O EURO NA COMUNIDADE EUROPEIA O I-POD A OVELHA DOLLY ESCOVA PROGRESSIVA DINHEIRO NA CUECA *DOWNLOAD* EM MP3 O FENÔMENO GISELE BÜNDCHEN O MASSACRE DO CARANDIRÚ A ELEIÇÃO DE LULA PROLIFERAÇÃO DAS REDES SOCIAIS ROBERTO JEFFERSON DENUNCIA O MENSALÃO AS CPI'S JAMAIS CONCLUIDAS MORRE MIGUEL ARRAES O REBAIXAMENTO DE PLUTÃO BARAK OBAMA PRESIDENTE NEGRO CINEMA 3D ADEUS A CLAUDE LÉVI-STRAUSS *EMOS E CLUBBERS* MORRE SARAMAGO PALHAÇADA NAS ELEIÇÕES DE OUTUBRO O STF ENTERRA A CHANCE DE VOTAR A FAVOR DO PROJETO FICHA LIMPA.

Os acontecimentos não estão em ordem cronológica.

OS BECOS

Que importa a paisagem, a Glória,
a baía, a linha do horizonte?
O que eu vejo é o beco.
POEMA DO BECO, MANUEL BANDEIRA

Eu também vejo os becos, meu poeta.
E ainda tiro fotos...

VOCÊ É O QUE GUARDA

A gente sabe que está envelhecendo quando olha em volta e se dá conta da grande quantidade de objetos e de lembranças acumulados ao longo do tempo. Quanto de mais coisas a gente lembra, quanto mais trecos a gente guarda, mais idade a gente tem. É a simples aritmética da vida.

Danem-se os botox, os preenchimentos, os tonalizantes de cabelo, a neura por causa de rugas no rosto ou gordurinhas localizadas... Eu quero é ter histórias pra contar. Minha memória e minha história se refletem nos meus guardados.

PRETO NO BRANCO

MEUS BICHINHOS DE BARRO

A graça do grafismo indígena brasileiro me encanta. Compro, ganho, dou, empresto e troco. Tenho um monte.

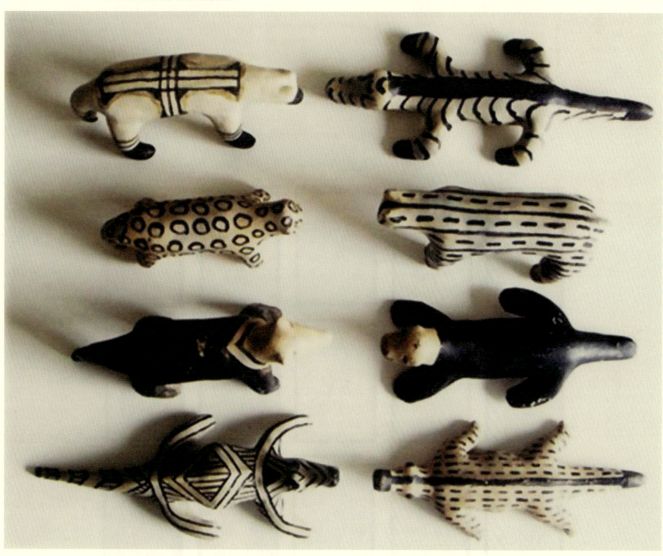

BRANCO NO PRETO

AS CUIAS DE SANTARÉM

Produzidas principalmente pela comunidade de Aritapera, situada às margens do rio Amazonas, em Santarém, as cuias eram usadas pelos índios pra beber água, tomar banho no rio e até como prato. A cuia é feita da casca do fruto da cuieira (*crescentia cujete*) ou *kuimbúka* em Tupi, de onde se origina a palavra cumbuca. Até hoje são mantidas as tradições indígenas no processo de produção das cuias pintadas.

Após a colheita, o fruto passa pela limpeza, secagem e eliminação das imperfeições com a ajuda de uma lixa feita de escamas de pirarucu. Depois, a cuia é tingida com o cumatê, tinta natural vermelho-escuro, extraída da casca da árvore conhecida como axuazeiro.

As cuias são tratadas com urina, o que permite uma grande aderência da tinta nas peças. Um forro de palha impede qualquer contato direto das cuias com a urina, da qual apenas se extrai a amônia.

Numa reação química conhecida pelas índias há pelo menos quatro séculos, a amônia atua sobre a tintura do cumatê, enegrecendo-as por inteiro. Só então as cuias ficam prontas pra receber os desenhos ou os riscados feitos pelos artesãos, a maioria mulheres.

THE WALL

Da minha cama vejo os meus amores que tomam conta de mim.

LEQUES

NECESSIDADE OU PURO CHARME?

Compro, ganho, não troco, não dou, não empresto.
E, normalmente, não uso.

O *DESIGN* DA NATUREZA

Minha mania de sair por aí, chutando limão e catando coquinho.

Boneco russo, presente do meu pai.

Cara de pau da Zona da Mata de Pernambuco.

João e Maria: fantoches franceses de louça usados na festinha do meu aniversário de 5 anos.

Bonequinho de pano a dois reais no Mercado de São José.

Boneca abafador de chá, adquirida em Moscou em 1979 e que serviu de modelo pra "criação" da minha amiga Vanessa Dalla Rovere.

De Praga: fantoche de uma dama.

Matrioskas compradas em Kiev, na Ucrânia.

Indiano comprado em Londres.

A boneca que vira bolsa, guardada pra quando (e se...) eu tiver uma neta. Comprada no Victoria & Albert Museum em outubro de 2010.

OS TAIS CAQUINHOS...

BASTA CHOVER

No dia seguinte aparecem mil caquinhos de espelho nas calçadas. Um perigo!
Os espelhos refletem o céu, as árvores, tudo. Uma lindeza!
Quando o sol aparece, os espelhinhos somem.

AGUINHA PARADA NO MEIO DA RUA PARECE CAQUINHO DE ESPELHO.
TUDO DEPENDE DE COMO SE VÊ.

POR FALAR EM...

... CACOS DE ESPELHO

Henri Cartier-Bresson foi quem primeiro percebeu que cacos de espelho aparecem nos chãos da vida. E mais: fotografou um imenso na Gare Saint-Lazare, em 1932.

POR FALAR EM CARTIER-BRESSON...

...em 1979, fiz essa foto em Praga. Eu a chamo, sem um pingo de modéstia, de *meu momento Cartier-Bresson*.

POR FALAR EM CACHORRO...

...tem a historinha linda da filha de seis anos de Ionaldo Cavalcanti, reclamando com o pai que havia ganho injustamente a nota zero numa questão da prova da escola.
— Por quê?, perguntou-lhe o pai.
— Porquê a professora pediu que eu escrevesse os nomes de dois animais, aí, eu escrevi Totó e Mimi.

FALANDO NA GATINHA MIMI...

...acho que Deus estava de folga no dia em que esse gatinho nasceu.
Mas como todos sabem, duas cabeças pensam
melhor do que uma.
Conclusão: Deus escreve certo por linhas tortas.

E POR FALAR EM LINHAS...

...vivi toda a minha vida às voltas com linhas, tecidos, modelitos, bordados etc etc.
Minha mãe é modista e eu aprendi a costurar com 8 anos.
Estes são o vestido e o sapato que eu usei no dia do meu aniversário de 1 ano. Minha mãe era modista e caprichava nas minhas roupas. Quando eu tinha 8 anos, ela parou de costurar pra mim porque, segundo ela, nada assentava em mim além de eu ser muito chata e reclamona. A partir daí, eu mesma fiz todas as minhas roupas. Aos 12, já ganhava dinheiro costurando para as minhas amigas.

By the way, vejam o vestidinho que a minha mãe fez pra mim quando fiz 1 ano.
É todo de rendinha de bilro e existe ainda hoje.

POR FALAR NISSO...

...hoje o presentinho de domingo vai na segunda por absoluta falta de tempo.
A propósito: que tempinho chato, esse! Chove a cântaros por aqui! Amanhã é dia de caquinhos de espelho. Posso apostar!
    Agora me lembrei de Cartier-Bresson que fotografou um imenso caco de espelho na Gare Saint-Lazare, em 1932.

PEQUENAS SAUDADES

A saudade é o pior castigo, a saudade é o pior tormento,
pior do que o esquecimento, pior do que se entrevar.
A saudade é o revés de um parto,
a saudade é arrumar o quarto do filho que já morreu.
A saudade dói como um barco
que aos poucos descreve um arco e evita atracar no cais.

Saudade na visão tragipoética de Chico Buarque.

Amigos, pedaços de mim:
Hoje vou falar de saudade. Não da saudade avassaladora, dolorosa e triste como a de Chico, mas das pequenas saudades, das mínimas recordações que não se perderam no tempo, lembranças de gestos, cheiros, sabores que eu nunca esqueci, sentimentos retidos na memória, imagens coladas na retina para sempre.
Beijos em todos.

A LEMBRANÇA MAIS REMOTA

A minha mais antiga lembrança é a cena em que a minha mãe, grávida da minha irmã, desmaiou na feira de Goiana, de cuja comarca meu pai era promotor público. Me puseram sentada na beira de uma banca de banana.

De lá, podia ver a minha mãe estirada no chão, algumas pessoas em volta gritando e passando água nos pulsos e na testa dela. Eu tinha um ano e nove meses.

MINHA PRIMEIRA AMIGA

Nessa época, eu tinha uma amiguinha pra brincar comigo. Nunca vou esquecer a voz aguda e fanhosa de Vaninha me chamando:

— Mó-eeennn-ma, vamo vadiaaaá?

Mais de quarenta anos depois, fotografei essa menina em Tracunhaém.

Ela é a cara de Vaninha.

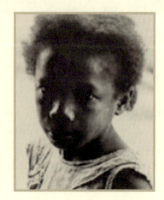

TÁ NA HORA DE DORMIR!

Às sete e meia. Logo depois de *Jerônimo, o herói do Sertão*. Minha mãe pegava o lençol, desdobrava e levantava bem alto, quase no céu, formando um toldo. Ele descia beeeeem devagar até cair sobre mim. Eu ria baixinho e dormia feliz.

Meu pai contava histórias trágicas e verdadeiras: a da resistência de Leningrado, novecentos dias e novecentas noites resistindo heroicamente ao cerco dos nazistas; a história da pequena Anita Leocádia arrancada à força dos braços da mãe, Olga Benário, numa prisão em Berlim.

Contava também as clássicas histórias infantis, mas com finais edificantes: em *Chapeuzinho Vermelho* a avó era engolida pelo Lobo Mau.

Aí, eu perguntava incrédula:

— E ela não morreu?

Ele respondia sério:

— Não! Ela comeu muita cenoura, muito tomate, tomou muito leite e ficou muito forte e só morreu com 100 anos.

E a história da menina que foi enterrada viva? A madrasta enterrou a menina na ausência do marido. Nesse lugar nasceu um lindo arbusto. Cada vez que alguém passava por perto ouvia uma voz doce que cantava:

Capineiro do meu pai / Não me corte o cabelo.
Minha mãe me penteou / Minha madrasta me enterrou.
Pelo figo da figueira / Que o pássaro bicou...

O pai, depois de muito tempo, descobriu o crime e desenterrou a filha. Aí, eu perguntava quase chorando:

— E ela não estava morta?

Ele dizia:

— Ela ainda estava um pouquinho viva, aí, ela comeu ovo cozido, feijão com arroz, banana, goiaba e leite e ficou bem forte. Depois casou e virou professora.

Eu ia dormir um pouquinho feliz, mas pensando muito...

EXEMPLO DE SUPERAÇÃO

O leão é o símbolo do Sport Club do Recife. Minha paixão pelo Sport me fez querer superar o medo de leão e, principalmente, o medo de cair do alto da estátua. O leão de bronze era muito frio e escorregadio. Eu me agarrei a ele em pânico e consegui me equilibrar por alguns segundos. Quando me tiraram de lá, caí no choro...

Da esquerda para a direita: mané--gostoso, ratinho, bruxinhas e os peixinhos de chocolate. Os peixes, hoje são reeditados para o deleite dos saudosos. As cores são lindas mas o sabor continua péssimo. Como sempre.

TUDO COMO DANTES NO CASTELO DE ABRANTES

Os brinquedinhos da minha infância resistem ao tempo. O mané-gostoso, as bruxinhas e o ratinho de hoje são iguais aos do meu tempo. As lagartixas do jardim da minha mãe são as mesmas da minha infância. Eu disse "as mesmas"! Ninguém nunca encontrou um cadáver de lagartixa no jardim...

EU JÁ LEVAVA JEITO

O primeiro bilhetinho que escrevi. Esqueçam o alinhamento e reparem no M.

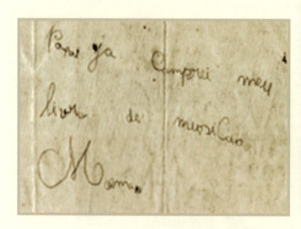

O FININHO DO PIANO

Comecei a ter aulas de piano aos quatro anos. Nesta foto eu estava tocando "Pour Elise", no Teatro de Santa Izabel. Na parte mais difícil da peça, minha mãe tapava os ouvidos porque achava que eu ia errar.

Tinha medo na hora da escala, quase no final. Medo também que o piano do teatro fosse diferente do meu. Toda vez, eu perguntava à minha mãe:

— De que lado fica o (som) fininho desse piano?

NAS ASAS DA PANAIR

A PRIMEIRA QUALQUER COISA, A GENTE NUNCA ESQUECE

O PRIMEIRO SALTO ALTO

Na inauguração do Aeroporto Internacional do Recife/Guararapes, eu tinha 15 anos e usei salto alto pela primeira vez.

Juscelino Kubitschek faria o primeiro pouso oficial na pista do aeroporto, vindo do Rio de Janeiro, a bordo de um *Constellation* da Panair. Meu pai era secretário de Administração da Prefeitura do Recife. Autoridade, portanto. Fomos todos muito *lordes* à festa: meus pais, eu e a minha irmã.

E o avião de JK, cadê que chegava? Quatro horas de espera, os pés em brasa e nada de Juscelino! Sentei, exausta, na escadaria de mármore do saguão. Minha irmã cochilando, minha mãe em pé pra não amassar o vestido de musseline de seda azul, meu pai conversando política. Duas horas depois, o tumulto: o *Constellation* finalmente taxiou na pista. Desce JK acenando pra todos e se encaminha para o saguão.

Todos correm ao mesmo tempo em direção a ele. Não sei como aconteceu: tropecei na minha irmã, caímos as duas de quatro na frente do presidente e eu perdi meu sapato de salto alto.

A PRIMEIRA COCA-COLA

Os guaranás Fratelli Vita, as gasosas de pera, maçã e limão eram os refrigerantes servidos nas festinhas de aniversário da minha meninice. Coca-cola, símbolo do imperialismo *yankee*, em casa de comunista, nem pensar!

Um dia fui à cidade com a minha mãe. Na rua Nova, bem em frente à Sloper, dezenas de engradados de Coca-cola formavam uma barreira enorme na calçada.

Um rio de Coca-cola se avolumava ao longo do meio fio. Coca de graça pra todo mundo! Só o líquido, bem entendido, porque as tampinhas eram vendidas por três mil réis!

A primeira grande campanha publicitária do refrigerante no Recife prometia mi-lha-res de prêmios a quem achasse, por baixo da cortiça da tampinha, o desenho de bicicletas, bolas de futebol, rádios e até automóveis. Nada daquilo me interessava. O que eu queria mesmo era experimentar aquele líquido escuro longe dos olhos desaprovadores do meu pai.

— Mamãe, quero tomar uma Coca-cola! Pelo amor-de-deus mãe, deixa eu tomar uma Coca-cola. Pufavô, mãe!

— E se seu pai passar por aqui agora?

— Passa não, mamãe. A essa hora ele tá na Sertã ou no Savoy conversando política com os amigos...

— Então pega uma. Só uma! E toma depressinha, escondida atrás daquele engradado.

Corri pra lá, peguei duas garrafas sem tampa e tomei tudo de uma vez. Direto do gargalo, aquele líquido escuro, espumando, quente (e de graça!) descia queimando pela minha garganta. Feliz, limpando a boca com as costas da mão, saímos dali correndo para pegar o ônibus e voltar pra casa. Não deu outra!

195

Sentadinha no último banco do ônibus, bem na frente do corredor, comecei a vomitar. Litros, baldes de Coca-cola. Quente, espumando...

Dona Ofélia, morta de vergonha e de nojo, se fazendo de lelé, olhava pro outro lado, como se minha mãe não fosse.

A cada freada, a cada catabí, o rio de coca ia até lá na frente e parava nos pés do motorista. Quando o ônibus começava a andar, o rio corria contra a maré para a nascente de novo.

Duzentos melê de Coca dentro de cada sapato e o meu vestidinho de vira-linho teve de ir pro china pra lavar.

"Malditos americanos", resmungou meu pai quando me viu desmaiada no divã da sala.

A PRIMEIRA GELATINA ERA DE LIMÃO

Primeira comunhão da minha prima Liane, filha de tio Luiz, irmão do meu pai. Primeira-comunhão-de-prima era a festa mais linda pra mim. A família inteira na igreja do bairro às seis da manhã, em jejum. (Eu não! A vantagem de ser comunista é que eu não era batizada nem podia comungar, portanto, podia tomar meu leite com toddy e comer meu pão com ovo antes de sair de casa).

Liane parecia uma noivinha: vestido comprido de organza branca, sapatos de pulseirinha brancos de verniz e meinhas de seda.

Na cabeça um véu de filó enfeitado com florzinhas de cetim: nas mãos, um livrinho de missa novinho.

Naquele domingo fazia muito sol. A festa corria solta no quintal da casa de Liane.

Um farto café da manhã foi servido a todos. Sanduíches de queijo do reino no pão de caixa, bolo-de-rolo, Souza Leão, de macaxeira, pastel de carne de porco com açúcar por cima... Tudo!

Tio Luiz fez amizade com um grupo de pracinhas americanos da base de Natal. Vivia indo e voltando de lá. Trocava mercadorias brasileiras por bugigangas americanas. Nessas, levou pra Recife uns pacotes de gelatina, coisa jamais vista até então. Comprou uma bacia enorme, preparou uns vinte pacotes de gelatina de limão e mandou gelar no refrigerador da padaria.

No auge da festa, lá vêm tio Luiz e tio Pedro carregando a bacia. Puseram um vidro em cima da bacia, desenformaram a enorme gelatina verde e a colocaram em cima da mesa das comidas.

No primeiro momento, silêncio total. Aos poucos, os gritinhos de oh!, ah!, iiih!, ôxe!, vigemaria!

Aquela coisa verde, iluminada pelo sol que aqui e ali passava por entre as folhas das mangueiras.

Era linda! E tremia... se mexia sozinha. Parecia que estava viva! Cada um ganhou uma colher e uma xicrinha pra provar. Fiquei lá, sentada embaixo do pé de manga-rosa, toda feliz, comendo luz fluorescente verde, sabor de limão, na dúvida se deveria mastigar ou não, antes de engolir.

Eu me lembro bem agora.

Não foi nas asas da Panair
a primeira Coca-cola.

Moema Cavalcanti: um teclado, um mouse na mão e mil lembranças na cabeça.

QUERIDO DIÁRIO

REVISITANDO MEUS DIÁRIOS

Recife, 2 de fevereiro de 1949.

Querido diário,
A magrela de perna fina aí sou eu. Os outros são meus irmãos. Vovô Niel tirou esse retrato na frente da casa da minha bisavó Lydia, na rua Velha, nº 278. A gente tinha acabado de tomar banho com sabonete Lifebuoy.

Recife, 10 de novembro de 1971.

Meu querido diário,
Minha filha Malu nasceu há um mês em São Paulo. Agora estou no Recife, feliz da vida: não falta quem queira me ajudar a cuidar dela...

São Paulo, 18 de abril de 1975.

Querido diário,
Ontem o dia estava lindo. Levei as crianças para passear na pracinha do Sumaré. Maria Luísa e Henrique adoraram. Hebe Camargo mora logo alí, atrás dessa escadaria.

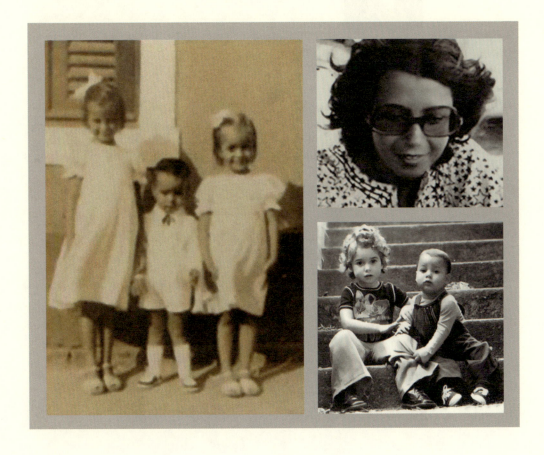

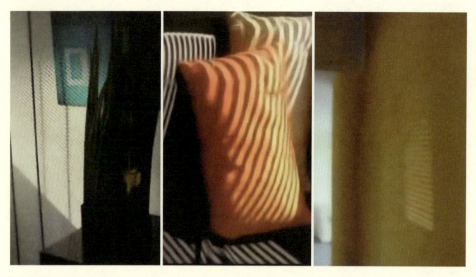

São Paulo, 20 de novembro de 2006.
Querido diário,
Nesta época do ano, entra um sol bem bonito através das persianas da minha casa. Minha casa fica toda listradinha...

São Paulo, 8 de setembro de 2004.

Meu querido diário,
Ontem, passei no cemitério do Araçá e comprei dois copos-de-leite coloridos. Aí, fiz esse arranjo para alegrar a minha casa e a minha vida.

São Paulo, novembro de 2007.
Meu diário,
Minha mãe fez 90 anos em outubro. Resolvi fazer 350 álbuns com fotografias antigas dela para distribuir entre os convidados da festa. Olha só como ficaram!

São Paulo, dezembro de 2007.
Diário querido,
Fim de ano é tempo de se reorganizar, arrumar as gavetas, virtuais ou não. Nessas, achei umas imagens de trabalhos que venho fazendo há quarenta anos. De algumas coisas eu gosto. De outras, nem tanto. Gostei de ter feito essas capas.

São Paulo, 15 de fevereiro de 2019.

Querido diário,
Esses são meus netos, que me motivam a viver e a ser feliz.

Fotos do meu arquivo pessoal.

O RIO QUE PASSA PELA MINHA ALDEIA

O TEJO É MAIS BELO QUE O RIO QUE CORRE PELA MINHA ALDEIA, MAS O TEJO NÃO É MAIS BELO QUE O RIO QUE CORRE PELA MINHA ALDEIA. PORQUE O TEJO NÃO É O RIO QUE CORRE PELA MINHA ALDEIA.

FERNANDO PESSOA

Capibaribe não é o Tejo, mas é o mais belo rio que corre pela minha aldeia.
Há tempos eu não parava pra contemplar o rio que atravessa o Recife. Nessas férias, dediquei meu olhar ao rio que corre pela minha aldeia. MOEMA

A CIDADE É PASSADA PELO RIO COMO UMA RUA É PASSADA POR UM CACHORRO; UMA FRUTA POR UMA ESPADA.

JOÃO CABRAL DE MELO NETO

CONCLUSÃO (SÉRIA)
DE UMA RECIFENSE APAIXONADA

O Capibaribe e o Beberibe são os dois maiores rios que atravessam o Recife. O primeiro vem do sul e o Beberibe chega do norte.

Vocês podem ver na foto abaixo, o momento e o lugar exatos em que eles se encontram para, finalmente, formar o oceano Atlântico.

FAZ SENTIDO... OU NÃO?

À TOA PELAS RUAS DO RECIFE

RECIFE GRÁFICA

Nobres tapumes.

Grafiteiros anônimos.

Costumo dizer que vou ao Recife pra me reabastecer de cor. Volto plena e pronta pra recomeçar. Desta vez foi diferente: além do incrível azul do céu e os mil verdes do mar, fiquei mesmo de olho foi na...

Fotos de Moema Cavalcanti. Recife, julho de 2009.

Abaporus e boizinhos a céu aberto.

MINHA SINGELA* HOMENAGEM AO ANIVERSÁRIO DE SÃO PAULO

* Adoro essa palavra

204

SÃO PAULO, 459 ANOS

Nasci no Recife e vim pra São Paulo aos 25 anos. Casei, nasceram os filhos... e fui ficando. Por uma questão de sobrevivência, tive de me resolver com o sotaque pra tentar parecer menos "baiana" como dizem aqui. Os rr e os ss me punham à prova.

Para que vocês entendam o drama e para aqueles que insistem em dizer que o sotaque paulistano é o mais neutro do Brasil, aqui vai um QR Code.

Sofri um pouco, dadas as circunstâncias do meu autoexílio. Respirei fundo e fui procurar emprego. Caí na Editora Abril, onde fiquei durante treze anos. Foi lá que aprendi quase tudo o que sei da minha profissão.

Amo essa cidade como se minha fosse. Sinto-me totalmente à vontade em São Paulo e inteiramente consciente de que a adoção é mútua. Adoro sair de casa com a câmera na mão. Geralmente, sem nenhuma ideia na cabeça.

São Paulo é imprevisível, mas sempre demonstra um enorme talento pra se exibir despudoradamente.

E vou aproveitando...

QUEM MELHOR CANTOU SÃO PAULO?

Adoniran Barbosa

Caetano Veloso

Tom Zé

Paulo Vanzolini

MINHA VIDA (DE) PASSAGEIRA

Nunca tive carro, nem pretendo ter. Vou de busão, metrô, lotação, coletivo ilegal, ando de bigú*, enfim, faço de um tudo pra chegar ao meu destino. Quando saio sem destino, prefiro ir de "após" mesmo. Mas o bom mesmo é poder pegar um táxi.

— "Pra quê táxi, Maria de Fátima?" ** Oras!, diria eu:

— Porque é mais rápido, mais confortável, mais limpinho, me deixa na porta do lugar pra onde quero ir, não preciso ultrapassar aqueles degraus de 80 centímetros de altura, que me separam da calçada até o piso do ônibus nem passar vexame ao pedir para um jovem me ceder o lugar no banco que, por lei, me pertence e ouvir ele responder que não cede. (Às vezes eu fico feliz nessa situação: prefiro acreditar que ele não imaginou que eu fosse idosa).

É tão constrangedor implorar pelo banco destinado às "pessoas diferenciadas", que, uma vez, preferi pedir discretamente ao cobrador que solicitasse a um jovem que me cedesse o lugar. Ônibus lotadaço, vira o cobrador para o garoto e grita a plenos pulmões:

— Sai daí, menino! Dá o lugar pra veia!

TAXISTA-BARBOSA

Eu, no banco de trás, ensinando meu caminho ao taxista:
Cada vez que eu falava, ele respondia virando a cabeça na minha direção.

— Por favor, entre à direita. Ele: — À direitaaa...

Eu: — Agora, siga em frente. Ele: — Em frenteee...

Eu: — À esquerda na próxima. Ele: — Na próximaaa...

Eu: — Agora, pode parar que já cheguei. Ele: — Já chegueeei...

Antes que eu tivesse um frouxo de riso, tratei de pagar rapidinho.

Ao sair, já fora do táxi, eu disse:

— Obrigada! Ele olhou pra mim e disse:

— Obrigadooooo!

VAI UM CHORINHO AÍ, MADAME?

Saí tarde do escritório, cansada e com sono. Não havia táxi no ponto de sempre. Peguei um táxi na rua. No toca-fitas, só chorinho. O taxista:

— Madame, o som está incomodando?

— De jeito nenhum! Eu adoro chorinho.

— Eu também, madame. Aliás, eu só trabalho de taxista porque a vida tá dura, madame.

— An-rã...

— Eu gosto mesmo é de ser chorão, madame.

— An-rã...

— Madame, quando eu acabo aqui, participo de uma roda de choro, aqui em Pinheiros.

— An-rã...

— Toco bandolim... Já toquei com o pai de Paulinho da Viola, madame.

O sono desabando, o cara falando e eu: — An-rã... An-rã...

Chegamos. Paguei a corrida e desci do táxi.

Ele também saiu do carro, deu a volta e se dirigiu ao porta-malas.

Tirou o bandolim com cuidado e perguntou:

— Vai um chorinho aí, madame?

Olhei o céu de outono, a lua brilhando lá em cima...

— Claro! Manda ver!

Ele tocou "Murmurando", o choro mais lindo do mundo.

* de carona.
** Regina Duarte, a Raquel de *Vale Tudo*, perguntando aos gritos, com aquela voz de taquara rachada, à periguete Maria de Fátima (Glória Pires), sua filha trambiqueira.

DIA DO AMIGO

TUDO COMEÇOU COM ESTA ANEDOTA

Dois caçadores conversam em seu acampamento:
– O que você faria se estivesse agora na selva e uma onça aparecesse na sua frente?
– Ora, dava um tiro nela.
– Mas, se você não tivesse nenhuma arma de fogo?
– Bom, então eu a matava com meu facão.
– E se você estivesse sem o facão?
– Apanhava um pedaço de pau.
– E se não tivesse nenhum pedaço de pau?
– Subiria na árvore mais próxima!
– E se não tivesse nenhuma árvore?
– Sairia correndo.
– E se você estivesse paralisado pelo medo?
Então, o outro, já irritado, retruca:
– Mas, afinal, você é meu amigo ou amigo da onça?

O AMIGO DA ONÇA

O personagem O Amigo da Onça foi criado pelo cartunista pernambucano Péricles de Andrade Maranhão, em 1943, e publicado de 23 de outubro de 1943 a 3 de fevereiro de 1962 na revista *O Cruzeiro*.

Péricles foi um desenhista daqueles com talento de enlouquecer qualquer professor. Menor de idade, chegou ao Rio de Janeiro com uma carta de recomendação pra ninguém mais, ninguém menos, do que Leão Gondim de Oliveira, o mandachuva dos *Diários Associados*, na época a mais poderosa rede de comunicações do país.

Em 1943, *O Cruzeiro*, criada por uma equipe jovem e de qualidade, inicia a revolução que faria nos anos seguintes tornando-se a revista mais importante do Brasil.

Péricles participaria com um tipo humorístico que traduzisse "a verve típica e o humor carioca", que captasse "o estado de espírito daquele que vive no Rio de Janeiro, não importa onde tenha nascido".

O Amigo da Onça foi publicado durante mais de 20 anos ininterruptos em *O Cruzeiro*. Ao contrário de repórteres como David Nasser e Jean Manzon, desenhistas de humor como Carlos Estevão ou escritores como Rachel de Queiroz, que transformaram seus nomes em grifes, quão difícil era desvincular seu nome do personagem. Com isto sofria muito, era sempre apresentado como o criador do Amigo da Onça e nunca como Péricles. De fato, seu personagem foi seu amigo da onça.

Péricles morreu de forma trágica na noite de 31 de dezembro de 1961: escreveu dois bilhetes reclamando da solidão, fechou todas as portas do seu apartamento e ligou o gás. Pouco antes pendurou um bilhete na porta, escrito a mão: "Não risquem fósforos".

Minha homenagem ao dia do amigo... da onça! São Paulo, 20/7/2011.

MEU NOVO OLHAR SOBRE O VELHO RECIFE

Recife é uma cidade para se ter saudade.
ANTÔNIO MARIA

Sou do Recife com orgulho e com saudade
Sou do Recife com vontade de chorar
O rio passa levando barcaça pro alto do mar
E em mim não passa essa vontade de voltar.

Recife mandou me chamar
Capiba e Zumba essa hora onde é que estão
Inês e Rosa em que reinado reinarão
Ascenso me mande um cartão.

Rua antiga da Harmonia
Da Amizade, da Saudade, da União
São lembranças noite e dia
Nelson Ferreira toque aquela introdução.

"FREVO Nº 3", ANTÔNIO MARIA

ANTÔNIO MARIA
Escritor, compositor e cronista pernambucano, morreu longe do Recife.

CAPIBA, ZUMBA e NELSON FERREIRA
Três dos maiores compositores pernambucanos.

ASCENSO FERREIRA
Poeta modernista pernambucano.

INÊS e ROSA
Quem são Inês e Rosa e em que reinado reinarão?

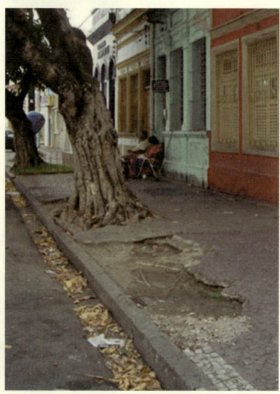

Ensaio fotográfico de Moema Cavalcanti.
Recife, abril de 2008.

MIMOS

ÚLTIMAS PALAVRAS

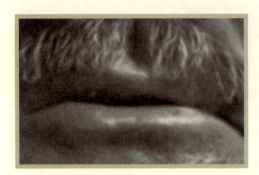

Quem não se lembra do personagem de Orson Wells em *Cidadão Kane* pronunciando sua última palavra antes de morrer?

Coisas esquisitas dizem certas pessoas, segundos antes de irem desta para a melhor. Ou para a pior, a escuridão profunda, o nada, ou ainda "o grande talvez", como dizia Rabelais.

Não creio na vida depois da morte. Acredito sim, na morte depois da vida. Eu mesma já vi isso acontecer com muita gente fina. Por via das dúvidas, é conveniente ir ensaiando alguma coisa decente pra dizer na hora de vestir a camisa de onze varas.

AS ÚLTIMAS PALAVRAS DOS CORAJOSOS

O filósofo francês Jean-Jacques Rousseau, antes de bater as botas, balbuciou: "Vejo o sol pela última vez!".

O poeta inglês John Keats, como se sabe, morreu de tuberculose. Segundos antes de entregar sua alma a Deus, ao som de uma sonata de Brahms, teve o cuidado de avisar ao seu amigo, o pintor Joseph Severn: "Vou morrer naturalmente. Não se assuste. Graças a Deus chegou a minha hora".

O grande dramaturgo inglês George Bernard Shaw não ficou atrás. Irritado com a enfermeira que se esforçava pra mantê-lo vivo, disse: "Irmã, a senhora está tentando me manter vivo como uma peça de antiguidade, mas eu já acabei... cheguei ao fim... estou morrendo". Morreu segundos depois, com 94 anos.

"É pequeno, muito pequeno, não é verdade?", disse Ana Bolena, rainha da Inglaterra, mulher de Henrique VIII, ao seu carrasco, antes de ser decapitada a mando do seu marido. Até hoje ninguém sabe se ela se referia ao seu pescoço ou a algum detalhe anatômico do seu algoz.

O humorista Stanislaw Ponte Preta falou sério quando pediu à sua empregada, antes de morrer de infarte: "Não olhe para mim não, Lena. Eu estou apagando".

Rabelais foi curto e grosso: "Desçam as cortinas, a farsa acabou".

As últimas palavras de Oscar Wilde antes de ir para o andar de cima são controversas como ele próprio. Há quem afirme que ele teria dito, com uma taça de champanhe na mão: "Estou morrendo como sempre vivi, além das minhas posses". Outros garantem que ele olhou fixamente pra parede em frente e falou: "Ou esse papel de parede vai embora ou vou eu!".

Theodore Roosevelt pediu: "Apaguem a luz".

Já Goethe antes de morrer, pediu: "Mais luz!".

AS ÚLTIMAS PALAVRAS DOS OTIMISTAS

The last words do escritor inglês D.H. Lawrence demonstraram um grande otimismo. Alguém lhe perguntou como estava passando e ele disse: "Estou melhor agora". E pumba!, morreu na hora.

"*Yes, I am*", respondeu John Lennon quando seu assassino perguntou: "*Are you John Lennon?*".

"Dêem-me um café, vou escrever.", ordenou Olavo Bilac, poucos segundos antes de entregar a rapadura.

Lord Byron: "Agora eu vou dormir. Boa noite!".

AS ÚLTIMAS PALAVRAS DOS INCRÉDULOS

Na hora da morte, Nietzsche teria dito: "Se realmente existe um Deus, sou o mais miserável dos homens".

Lenin morreu pedindo perdão pelos seus pecados a mesas e cadeiras.

Freud não teve tempo de explicar porque morreu gritando: "Isso é um absurdo! Isso é um absurdo!".

Voltaire teve um fim terrível. Durante toda a noite clamou por perdão. Quando o padre chegou para lhe dar a extrema-unção e pediu que ele dissesse: "Renuncio a Satanás", Voltaire se saiu com essa: "Não padre, essa não é hora de fazer inimigos." Ao amanhecer, sua enfermeira disse: "Por todo o dinheiro da Europa não quero mais ver um incrédulo morrer".

AS ÚLTIMAS PALAVRAS DOS ENGRAÇADINHOS

Humphrey Bogart, ator americano: "Eu nunca deveria ter trocado o Scotch pelo Martini".

Já o economista inglês John Maynard Keynes gostava de outra bebida. Ao se despedir da vida disse: "Eu deveria ter bebido mais champanhe".

O grande teatrólogo da Broadway, Wilson Mizner, ao sair de um coma prolongado ainda teve tempo de dar um chega-pra-lá no padre que tentava arrancar-lhe a última confissão: "Por que eu iria me abrir com você, se já falei com o seu patrão?".

A empregada de Joan Crawford estava orando em voz alta ao lado do seu leito de morte. Quando viu a morte de perto, a atriz americana gritou: "Drooooogaaaaa! Não peça a Deus pra me ajudar".

O filósofo Platão agradeceu por ter nascido homem, grego e contemporâneo de Péricles.

Pancho Villa morreu insistindo com um amigo: "Não deixe isto acabar assim. Fale a todos que eu disse alguma coisa".

Meu pai, Paulo Cavalcanti, no final da vida costumava brincar com a morte lembrando à família: "Quando eu morrer, prestem atenção se eu morri mesmo".

Ele sabia o que estava dizendo: seu marca-passo continuaria a bater no seu peito, mesmo depois de morto e suas lentes de contato impediriam que seus olhos se fechassem, por mais que tentassem fazê-lo. Pouco antes do último suspiro, ele pediu que retirassem o marca-passo e o doassem a quem estivesse precisando.

Estou pensando bastante no que vou dizer quando chegar a hora de empacotar de vez, se puder falar ou não morrer dormindo, óbvio. E se estiver acordada e lúcida e não houver ninguém por perto pra tomar nota das minhas últimas palavras?

Pesquisa e texto de Moema Cavalcanti. Foto do Google.

TRÊS PALAVRAS DOS ORGANIZADORES

O FRESCOR DA LINGUAGEM

Chico Homem de Melo

Estamos no final dos anos 1980 e lembro com nitidez do meu espanto diante de dois projetos de Moema Cavalcanti: as capas da série *Claro enigma* e a do livro *Os sentidos da paixão*. Quando as examino novamente, mais de 25 anos depois, percebo que minha admiração permanece a mesma. As capas estão novas, exibem o frescor da linguagem finamente elaborada. Há nelas a sabedoria do gesto preciso, econômico, mais empenhado em sugerir do que em explicar. A partir dali, sua obra gráfica se afirmou como referência obrigatória para mim.

Moema gosta de mencionar seu gosto pela costura — costura entendida aqui no sentido estrito do termo, de costurar as roupas que veste. Trata-se de um hábito que vem da infância, incentivado pela mãe, ela também costureira das próprias roupas. A afinidade de Moema para com a exploração dos materiais de que são feitos os livros talvez venha dessa proximidade com o trabalho manual e do contato com os tecidos. Nos dois projetos mencionados acima, o uso particular que ela faz dos papéis é tão importante quanto as informações impressas. E daí aprendemos que o design gráfico não se limita à dimensão visual, mas só se realiza plenamente a partir da combinação entre visualidade e materialidade. Moema já sabia disso há muito tempo.

Seu trabalho como *designer* é marcado pelo uso de um vasto repertório iconográfico. Os presentinhos de domingo que ela generosamente compartilha com os leitores deste livro abrem uma janela que ajuda a entender o lastro cultural que perpassa sua obra gráfica. Eles nos mostram uma intelectual perspicaz, dona de uma curiosidade aguçada e dotada de uma verve toda particular. Cada projeto é fruto da mobilização de uma ampla cultura visual posta em contato com o assunto de cada livro. É desse encontro que nascem suas capas.

Este livro coloca ao alcance de todos a obra de uma profissional que ocupa posição de destaque no cenário do design gráfico brasileiro das últimas cinco décadas. Já não era sem tempo. Depois de percorrê-lo, a conclusão é uma só: quanto mais capas de Moema Cavalcanti, melhor.

CAPA, CORTE E COSTURA

Raquel Matsushita

Entro na livraria e, diante da multidão de livros, escolho um. Pego nas mãos. Primeiro a capa. Depois, lombada. Quarta capa. Giro. Entro nas primeiras páginas, elas conversam com a capa? Volto para o início. A capa. Faço tudo de novo, só que desta vez, com mais calma. Foi assim que conheci Moema.

Carrego comigo, desde os tempos de faculdade, esse hábito de passear nas livrarias para olhar as capas dos livros. Numa dessas ocasiões, fui atraída pela capa de *Os sentidos da paixão* (os livros *Ética*, *O desejo* e *O olhar*, também criações de Moema, fazem parte dessa coleção de antologias). A aplicação de faca especial tinha, na época, um quê de frescor. Experimental. Aquela capa, com uma abertura tão ousada, me chamou a atenção porque diz muito, com pouco. Ou melhor, não diz. Sugere. Coloca, portanto, o olhar numa posição ativa. Fica por nossa conta preenchermos a lacuna. Por isso, é tão instigante e impactante até os dias de hoje. Busquei nos créditos e li: Moema Cavalcanti.

Essa situação se repetiu por inúmeras vezes. Atraída por uma capa e... crédito: Moema Cavalcanti. Admirada com o seu trabalho, veio o desejo de me aproximar. Recém-formada e muito tímida, telefonei para Moema para perguntar se precisava de uma assistente. Ela foi tão receptiva e, com muita delicadeza, disse que já tinha uma estagiária. Ainda assim, agradeceu minha ligação. Nascia ali uma dupla admiração por ela.

Desde então, acompanhei a trajetória do seu trabalho. São capas com etiqueta rasgada, como em O *silêncio dos intelectuais*; ou com inserção de ilhós nas articulações do desenho, como em O *homem máquina*; ou uma prega (como se faz em roupas) fixada com grampo, como em *Civilização e barbárie*. A lista é enorme.

Nem é preciso mencionar a quantidade de Jabutis que recebeu (é sim, foram quatro) e nem o tanto de capas que criou (mais de 1600) para reconhecer a relevância do seu trabalho. Desde sempre, Moema olhou e explorou o livro como objeto tridimensional. Traz consigo a marca da costura. Herdou da mãe o talento e a habilidade com a linha e a agulha. Passou para os livros o que faz de melhor com as mãos, alinhando conceito e forma em suas capas.

Moema é uma referência para a minha geração. Penso que é absolutamente oportuno a publicação deste livro (ainda que existam outros com o trabalho dela) para que as próximas gerações também tenham o privilégio de conhecer o percurso dessa singular artista gráfica.

Que nós – e todos os que vierem pela frente – possamos pegar nas mãos esse *Moema Cavalcanti, livre para voar* e desfrutar. Primeiro a capa. Depois, lombada. Quarta capa. Girar. Entrar nas primeiras páginas. Mergulhar. Voltar para o início. A capa e... crédito: Moema Cavalcanti.

MOEMA AO MEU LADO

Silvia Massaro

Ao longo dos últimos anos tive o privilégio de trabalhar com Moema Cavalcanti ao meu lado. Observando, admirando, aprendendo e me surpreendendo sempre. Trabalhamos juntas em vários momentos, na Editora Brasiliense, na Editora Globo e, nos últimos anos, no nosso escritório.

Assim, vi inúmeras vezes Moema diante do incrível desafio da folha de papel em branco, como ela costuma dizer.

É ali que todo precesso de criação começa, onde tudo acontece. Lapiseira, folhas de papel, recortes, objetos, tesoura e cola. Tudo vai acontecendo e se transformando nas mãos desta artesã cuidadosa, atenta e refinada.

Moema é determinada, perfeccionista, rigorosa e desafiadora. Observo e admiro a evolução do trabalho, seu olhar sofisticado e sua intuição afiada.

No final do processo vejo o resultado, competente, surpreendente e muitas vezes inquietante e inesperado.

Neste livro, podemos ver uma pequena parte da sua produção profissional, algumas de suas capas mais importantes e premiadas, alguns dos seus ótimos presentinhos de domingo e ainda conhecer algumas de suas deliciosas histórias.

Sorte minha.

Biblioteca da Imprensa Oficial do Estado de São Paulo
Ivone Tálamo – Bibliotecária CRB 1536/8

Moema Cavalcanti: Livre para voar / Moema Cavalcanti; Chico
Homem de Melo; Raquel Matsushita [e] Silvia Massaro. –
Recife : CEPE; São Paulo: Imprensa Oficial do Estado de
São Paulo, 2019.
224 p.: il. Col.

ISBN 978-85-401-0162-3 (Imprensa Oficial)
ISBN 978-85-7858-808-3 (CEPE)

1. Artes gráficas - Século 21 – Brasil 2. Design gráfico –
Brasil 3. Capas de livros – Brasil 4. Cavalcanti, Moema
I. Melo, Chico Homem de; II. Matsushita, Raquel;
III. Massaro, Silvia.

CDD 741.664 098 1

Índice para catálogo sistemático:
1. Design gráfico : Brasil 741.6

Grafia atualizada segundo o Acordo Ortográfico da Língua
Portuguesa de 1990, em vigor no Brasil desde 2009.
Foi feito o depósito legal na Biblioteca Nacional (lei nº 10.994, de 14/12/2004).
Direitos reservados e protegidos pela lei nº 9.610/1998.
Proibida a reprodução total ou parcial sem a prévia autorização dos editores.
Impresso no Brasil 2019.

Projeto gráfico e capa
Moema Cavalcanti

Ilustração de capa
J. Borges

Produção gráfica
Joselma Firmino

Fotos
Antônio Rodrigues

Tratamento de imagem
Sebastião Corrêa

Revisão
Mariza Pontes

O texto deste livro foi composto em Garamond e Univers.
O papel utilizado para o miolo é Couché fosco 150g/m²
e Pólen soft 80g/m² e para a capa é Cartão Triplex 250g/m².

IMPRENSA OFICIAL DO ESTADO DE SÃO PAULO

Conselho Editorial

Andressa Veronesi
Flávio de Leão Bastos Pereira
Gabriel Benedito Issaac Chalita
Jorge Coli
Jorge Perez
Maria Amalia Pie Abib Andery
Roberta Brum

Coordenação editorial
Cecília Scharlach

Edição
Andressa Veronesi

Assistência editorial
Francisco Alves da Silva

Impressão e acabamento
Imprensa Oficial do Estado S/A – IMESP

imprensaoficial
GOVERNO DO ESTADO DE SÃO PAULO
Rua da Mooca, 1921 Mooca
03103 902 São Paulo SP Brasil
SAC 0800 0123 401
www.imprensaoficial.com.br

COMPANHIA EDITORA DE PERNAMBUCO

Diretor de Produção e Edição
Ricardo Melo

Diretor Administrativo e Financeiro
Bráulio Mendonça Meneses

Conselho Editorial
Presidente Maria Lúcia Moreira
Evaldo Costa
Haidée Camelo Fonseca
Marcelo Pereira
Sidney Rocha

Superintendência de Produção Editorial
Luiz Arrais

Superintendência de Produção Gráfica
Júlio Gonçalves

Editor
Wellington de Melo

Editora assistente
Mariza Pontes

cepe
COMPANHIA EDITORA DE PERNAMBUCO
Rua Coelho Leite, 530 - Santo Amaro
50100 140 Recife PE Brasil
Fones: (81) 3183.2700 / 0800.0811201
www.editora.cepe.com.br

GOVERNO DO ESTADO DE SÃO PAULO

Governador
JOÃO DORIA
Vice-governador
RODRIGO GARCIA
IMPRENSA OFICIAL DO ESTADO DE SÃO PAULO
Diretor-presidente
NOURIVAL PANTANO JÚNIOR

GOVERNO DO ESTADO DE PERNAMBUCO

Governador
PAULO HENRIQUE SARAIVA CÂMARA
Vice-governadora
LUCIANA BARBOSA DE OLIVEIRA SANTOS
Secretário da Casa Civil
NILTON DA MOTA SILVEIRA FILHO
COMPANHIA EDITORA DE PERNAMBUCO
Presidente
RICARDO LEITÃO